/ Provincies en Districten

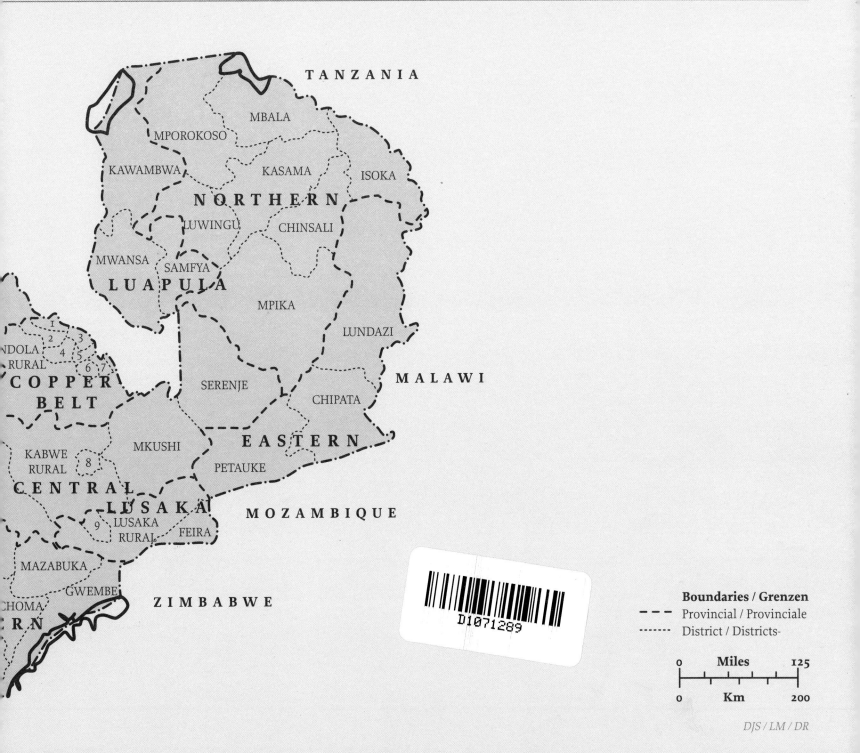

TANZANIA

MBALA

MPOROKOSO

KAWAMBWA

KASAMA

ISOKA

NORTHERN

LUWINGU

CHINSALI

MWANSA

SAMFYA

LUAPULA

MPIKA

LUNDAZI

1
2 3
NDOLA
RURAL 4 5
6 7

**COPPER
BELT**

SERENJE

MALAWI

CHIPATA

KABWE
RURAL 8

MKUSHI

EASTERN

CENTRAL

PETAUKE

LUSAKA

9 LUSAKA
RURAL FEIRA

MOZAMBIQUE

MAZABUKA

GWEMBE

CHOMA

ZIMBABWE

ERN

Boundaries / Grenzen

– – – Provincial / Provinciale

· · · · · District / Districts-

0 **Miles** 125

0 **Km** 200

DJS / LM / DR

Inside Zambia

1964 - 2004

Inside Zambia 1964 - 2004
Joint publication of Cordaid (The Hague), ICCO, NCDO, and Werkgroep
Zambia (Wageningen)
Editors of texts: Tom Draisma and Ella Kruzinga
Editor English translations: Tom Scott
Editors photographs: Wg Zambia and Rob Lucas
Design: Rob Lucas, Enschede

Headwords: Africa, Zambia, social geography of developing countries,
photograph book, travel book

ISBN: 90-73726-53-0

Inside Zambia 1964 - 2004
Gezamenlijke uitgave van Cordaid (Den Haag), ICCO, NCDO en Werkgroep
Zambia (Wageningen)
Redactie teksten: Tom Draisma en Ella Kruzinga
Redactie Engelse vertalingen: Tom Scott
Fotoredactie: Werkgroep Zambia en Rob Lucas
Vormgeving: Rob Lucas, Enschede

Trefwoorden: Afrika, Zambia, sociale geografie van ontwikkelingslanden,
fotoboek, reisboek

ISBN: 90-73726-53-0
Nur 902, 652, 516

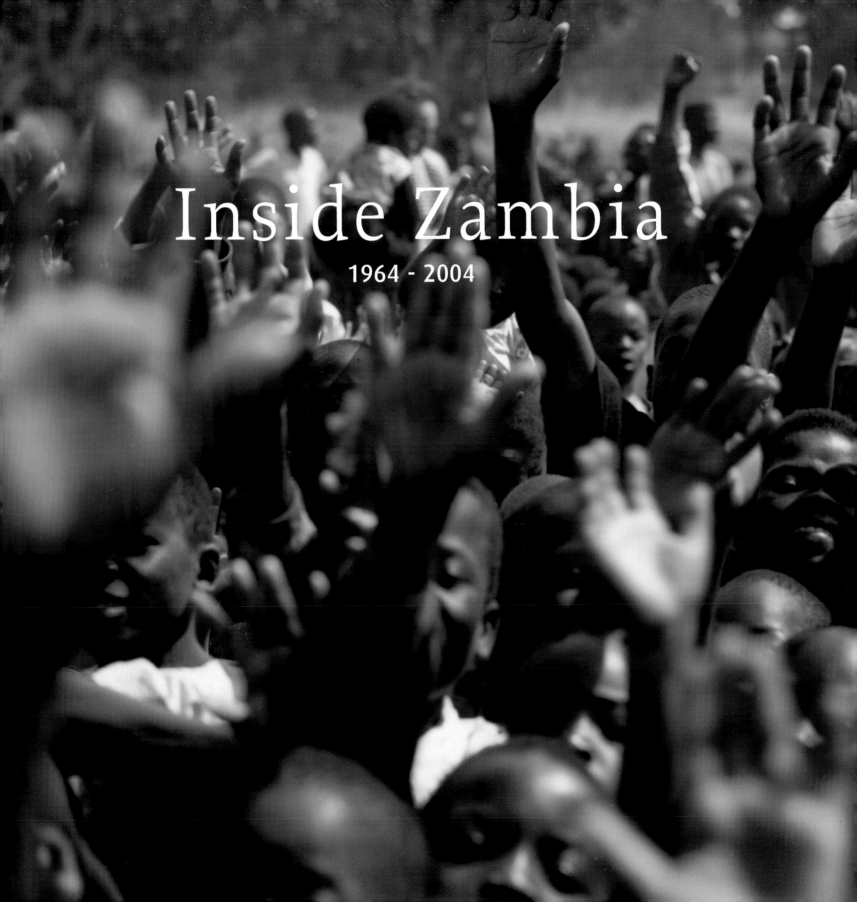

Inside Zambia

1964 - 2004

Introduction / Inleiding

Zambia is one of thirty 'partner countries' in the 'South' which the Netherlands supports through its policy of development co-operation. In Zambia's case, this co-operation dates back to 1964. For many Dutch people, then, it has a prominent place among the world's 125 'developing countries'. Apart from the Dutch government, the government-subsidised co-financing agencies, non-governmental organisations such as churches, trade unions and political parties, and many local groups also maintain relations with counterparts in Zambia. Moreover, since Zambian independence thousands of Dutch development workers have worked one or more contracts in Zambia, in a wide variety of sectors. In the initial years of decolonisation, this kind of 'technical assistance' was seen as a key solution to Africa.

On the 24th of October 2004 Zambia will commemorate the fortieth anniversary of its independence. That same year, the Dutch Werkgroep Zambia celebrates its twenty-fifth birthday. In December 2001 the Werkgroep Zambia held a brainstorming session on how best to mark the two anniversaries - both big and small - in the Netherlands. We agreed that publishing a book on the past forty years would be a fitting contribution to accompany any other events that are organised. For in the hundreds of public libraries in the Netherlands one can find many non-fiction books on individual African countries, but often only one thin work on Zambia, the Landenboekje Zambia.

At our request, dozens of development workers with experience in Zambia - recent or long-standing - sifted through their photo albums and slide collections and sent us their best pictures of the country. From the hundreds received, we in turn selected the best, thereby ensuring good coverage of the whole 1964–2004 period, and of a variety of themes. In addition, we asked eleven authors to sketch developments in Zambia in their own fields of specialisation.

As we have explained, our main aim is to inform the Dutch public. But we also hope that this book will enable friends and critics in Zambia to acquaint themselves with our attempts to present their country to the people of the Netherlands.

This book is a Dutch representation of your country. We hope that you too may find it interesting to view Zambia from this perspective.

The Photo Book Committee of the Werkgroep Zambia,
Miranda Brouwer, Tom Draisma, Flip de Haan, Dick Jaeger, Ella Kruzinga

Zambia is één van de ruim 30 'partnerlanden' waarmee Nederland in het kader van de ontwikkelingssamenwerking al sinds 1964 nauw samenwerkt. Van de 125 'ontwikkelingslanden' in de wereld kreeg en krijgt Zambia in Nederland dus behoorlijk veel aandacht, zowel van de overheid als van de medefinancieringsorganisaties, van niet-gouvernementele landelijke organisaties, zoals kerken, vakbonden en politieke partijen, en van vele plaatselijke groepen.
Duizenden Nederlanders hebben sinds 1964 in Zambia gewerkt, in zeer verschillende sectoren. Het inzetten van 'ontwikkelingswerkers' gold in de beginjaren van de dekolonisatie namelijk als dé oplossing voor Afrika's problemen.

Op 24 oktober 2004 viert Zambia de veertigste verjaardag van de onafhankelijkheid. In datzelfde jaar bestaat de landelijke Werkgroep Zambia 25 jaar. De werkgroep heeft zich eind 2001 afgevraagd hoe dit grote en dit kleine jubileum in Nederland te vieren. Wat er verder ook nog bedacht wordt, wij vonden een boek een passende bijdrage. Want in de honderden openbare bibliotheken van Nederland staan vele boeken over Afrikaanse landen, maar vaak slechts één dun boekje over Zambia.

Tientallen van de paar duizend 'ontwikkelingswerkers' die in Zambia gewerkt hebben, zijn in hun fotoalbums en fotoarchieven gedoken en hebben honderden foto's en dia's uit Zambia voor dit boek ingestuurd. Wij hebben daaruit de meest sprekende geselecteerd. Daarbij hebben we er naar gestreefd dat de hele periode 1964 - 2004, en uiteenlopende thema's, aan bod komen. Verder vroegen wij elf auteurs om vanuit hun eigen vakgebied terug te blikken op Zambia. Nu kunt u dus in beeld en woord kennismaken met de Zambiaanse bevolking, hun leefomgeving en hun recente geschiedenis. Veel kijk- en leesplezier!

De Commissie Fotoboek van de Werkgroep Zambia,
Miranda Brouwer, Tom Draisma, Flip de Haan, Dick Jaeger, Ella Kruzinga

■ Captions, see page 116.
bijschriften, zie pagina 116.

Contents / Inhoud

■ 1992. Election time. Children making the sign of the MMD led by aspiring
president Chiluba, leader of the opposition movement against Kaunda's
UNIP. Mbereshi, Luapula.
Verkiezingstijd. Deze kinderen maken het teken van de MMD, geleid door
presidentskandidaat Chiluba, leider van de oppositiebeweging tegen
Kaunda's UNIP.

The first forty years
De eerste veertig jaar

Leo van den Berg

1991. Chawama, a high density township. Lusaka. Children love having their picture taken.
Chawama, een dichtbevolkte woonwijk, Lusaka. Kinderen willen graag op de foto.

Independence brings a new sense of promise

Forty years in the life of a country can encompass huge changes, and nowhere is this more vividly shown than by what has happened in Zambia in the four decades since independence.

The country's first ten years were marked by an outpouring of optimism – and of investment in infrastructure and human resources. A large stadium was built in Lusaka to celebrate the declaration of independence in 1964, and in the years that followed vast sums of money were put into ministries, schools, hospitals, factories, tarmac roads and a railway line to Tanzania. A great deal was also invested in capacity-building amongst the people – especially children, many of whom had never before received any education.

Many colonial names were changed: the town of Broken Hill became Kabwe, Fort Jameson was renamed Chipata, and the mines of the Anglo American Corporation became Nchanga Consolidated Copper Mines. And it was not only the names that changed: so too did the organisations behind them, thanks not least to a revolution in personnel management and organisational culture. Many people from other countries – including the Netherlands – came to offer their services, motivated by various combinations of idealism, commercial acumen and adventurousness. A promising new nation had emerged on the borders of southern Africa, a region deeply troubled by racism. In Zambia, it seemed, a multicultural society could flourish, with equal opportunities for all: 'One Zambia, One Nation!' The Dutch who came wanted to be part of it, and to contribute what they could to its success.

Of course, Zambia had been a multicultural society before 1964, but now all the privileges that the small white minority had created for themselves were abandoned. Some white people could not deal with these changes, and left. Many British civil servants faced the end of their contracts and saw their positions taken over by Zambians – often their subordinates – or by other foreign interim staff. Others stayed on and felt very much at home in the new situation. Indeed, many of these, along with others more newly arrived in the country, adopted Zambian nationality. Likewise, in the formerly colonial commercial sectors – especially the copper mines and large farms – management was divided between 'quick leavers', those who waited to see what would happen and those who stayed out of conviction. Together with their African colleagues, they had to take strategic decisions: where to invest, and how.

They were hardly ever allowed to make these choices on their own. From the start, the new political elite adopted an intensely interventionist approach towards business. Racism in the workplace had to be

Onafhankelijkheid brengt een nieuwe belofte

Er kan veel gebeuren tijdens het veertigjarige bestaan van een land. Nergens kun je dit beter zien dan in Zambia.

Het begon allemaal in 1964 met het uitroepen van Zambia's onafhankelijkheid: er kwam een groot feest en er werd in Lusaka een stadion gebouwd om het te kunnen vieren. In de jaren daarna werd er vooral heel veel geïnvesteerd in ministeries, scholen, ziekenhuizen, fabrieken, asfaltwegen en in een spoorlijn naar Tanzania. Veel geld en energie werd ook gestoken in het vergroten van de kennis en de vaardigheden bij mensen, vooral bij kinderen, die eerder niet naar school konden.

Veel koloniale namen werden veranderd. Zo kreeg het stadje Broken Hill de naam Kabwe en werd Fort Jameson tot Chipata omgedoopt. De mijnen van de Anglo American Company werden nu de Nchanga Consolidated Copper Mines. Maar niet alleen de namen veranderden, ook de organisaties erachter veranderden van structuur, inclusief een omwenteling in de personele bezetting en de bedrijfscultuur. Veel buitenlanders, waaronder ook Nederlanders, kwamen hun diensten aanbieden met verschillende mengsels van idealisme, zakelijk belang en avontuur. Een veelbelovend nieuw land was gesticht, op de grens van het met racisme doorspekte zuidelijk Afrika, een land waar de multiculturele samenleving kon opbloeien met gelijkheid voor iedereen: 'One Zambia, One Nation!' De Nederlanders die er naartoe gingen wilden er bij zijn en hun steentje bijdragen.

Uiteraard was Zambia vóór 1964 ook al een multiculturele samenleving, maar nu vervielen de privileges, die het relatief kleine blanke volksdeel zich had aangemeten. Sommige blanken konden de veranderingen niet verwerken en vertrokken. Veel Britse ambtenaren zagen hun contracten aflopen en hun functies door Zambianen, veelal hun ondergeschikten, of door tijdelijke buitenlandse beroepskrachten overgenomen worden. Anderen bleven en voelden zich prima thuis in de nieuwe situatie. Veel van deze mensen en van de eerste lichting nieuwkomers namen de Zambiaanse nationaliteit aan. Ook in het voorheen koloniale bedrijfsleven, met name bij de kopermijnen, op de grote boerderijen, in handel en industrie, had je onder het kader de 'snelle vertrekkers', de 'kat-uit-de-boom-kijkers', de 'overtuigde blijvers' en de 'nieuwkomers'. Samen met hun Afrikaanse collega's en ondergeschikten moesten strategische keuzes worden gemaakt: waarin moet geïnvesteerd worden en hoe?

In die keuzes stonden ze zelden alleen. De nieuwe politieke elite bemoeide zich vanaf het begin intensief met de gang van zaken. Het racisme op de werkvloer moest verdwijnen. Er werden veel nieuwe

11

eradicated, and many new jobs and promotion opportunities were created for those who had never had such chances before. And everything had to be 'modern': outdated technology was not good enough for a progressive country.

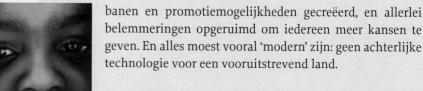

The government soon started a state programme to take over all key companies. The original owners had no choice in the matter, be they multinationals or private entrepreneurs who had fully embraced the new Zambia. After nationalisation, huge amounts of money were often made available to these companies for expansion and modernisation. Most often this was borrowed money. A period of unheard-of prosperity dawned, especially for people with jobs in the cities or in administrative centres in rural areas. It is no exaggeration to say that Zambia's first ten years were infused with a spirit of pride and optimism.

Doubts set in

The mid 1970s saw doubts begin to creep in. How could all the money that had been pumped into the country be earned back? The answer was to export goods at prices that exceeded production costs. However, global market prices for mining products – on which Zambia mainly relies even today – became ever weaker. Prices of imported raw materials and equipment needed in the country's efforts at import substitution began to exceed the prices at which Zambia's produce could be sold. Moreover, all these new buses and trucks, hospital equipment and water supply systems had to be maintained. This turned out be a hard task.

One important reason was that these goods had been imported from all over the world, and constant changes in management and foreign contacts meant that spare parts were difficult to come by. Even if suppliers could be tracked down, they were now less willing to deliver goods without advance payment. Little by little, after the first prosperous years, Zambia became less creditworthy.

Financial support from abroad was nowhere near enough to resolve the rapidly growing balance of payments deficit. Repairing deficits in other countries' trade balances and supporting regular maintenance are hardly attractive projects for development aid. The truth of the matter is that donors like 'trophies' – prestigious projects such as new bridges, a university, a hydroelectric plant, tarmac roads to connect people in remote corners of the country and offer them new opportunities, a large chemical fertiliser plant, a glass factory or the largest digging machine in the world in a coal mine. In their first years of use, these were all showcases for development aid. Soon, however, problems started to occur. Electricity and water supply systems began to fail regularly, and shelves in the shops ran empty.

banen en promotiemogelijkheden gecreëerd, en allerlei belemmeringen opgeruimd om iedereen meer kansen te geven. En alles moest vooral 'modern' zijn: geen achterlijke technologie voor een vooruitstrevend land.

De regering startte ook al snel een overheidsprogramma tot overname van alle sleutelbedrijven. De vroegere eigenaren daarvan, of het nu multinationals waren, of kleine privé ondernemers die zich geheel met het nieuwe Zambia hadden verbonden, hadden geen keus. Na de nationalisatie werd voor de uitbreiding en de modernisering van deze bedrijven veel geld beschikbaar gesteld. Vooral veel geleend geld. Er brak een tijd aan van ongekende welvaart, met name voor mensen met banen in de steden of in de bestuurscentra op het platteland. Ja, die eerste 10 jaar werden gekenmerkt door tevredenheid en optimisme.

Twijfel zet in

Halverwege de zeventiger jaren groeide de twijfel. Hoe kon al dat geld dat in het land was gepompt, worden terugverdiend? Het antwoord luidde: exporteren tegen een hogere prijs dan de productiekosten. Maar de wereldmarktprijzen voor de mijnbouwproducten, waar Zambia het ook nu nog vooral van moet hebben, vielen steeds meer tegen. De invoer van grondstoffen en machines voor de importvervangende industrie werd steeds duurder ten opzichte van de prijs waarvoor het geproduceerde in Zambia kon worden verkocht. En al die nieuwe bussen en vrachtauto's, ziekenhuisapparatuur, waterleidingen en fabrieksinstallaties moesten ook nog eens onderhouden worden. Daar kwam weinig van terecht, alleen al omdat al die zaken van over de hele wereld waren aangevoerd, en omdat reserveonderdelen door alle wisselingen in de bedrijfsleiding en in de contacten met het buitenland moeilijk te achterhalen waren. Als de leveranciers al gevonden werden, dan bleken die steeds terughoudender met levering zonder betaling vooraf. Zo werd Zambia na de eerste vette jaren geleidelijkaan steeds minder kredietwaardig.

De financiële steun uit het buitenland was absoluut onvoldoende om het snel groeiende gat in de betalingsbalans te dichten. Het vullen van gaten in andermans begroting en het helpen bij regelmatig onderhoud zijn geen spectaculaire activiteiten voor hulpverleners. Donoren willen nu eenmaal graag scoren en dat doe je met prestigieuze projecten: nieuwe bruggen, een universiteit, waterkrachtcentrales, asfaltwegen om de mensen in uithoeken van het land nieuwe kansen te bieden, een grote kunstmestfabriek, een glasfabriek of met de grootste graafmachine ter wereld om steenkool mee te delven. De eerste jaren na oplevering waren het stuk voor stuk paradepaardjes. Daarna kwamen al gauw de haperingen: de elektriciteit en de watervoorziening vielen steeds vaker uit en de winkels raakten leeg.

■ *1966. Excavator in open cast mining.*
Graafmachine, dagbouw.

14

1997. *Victoria Falls (Mosi-oa-tunya). Livingstone.*

The 1980s: economic reforms put society under stress

During the 1980s, the International Monetary Fund became increasingly reluctant to pour yet more money into bottomless holes. It came up with a solution for the many countries that shared Zambia's problems: cut budgets and privatise. The idea was that this would encourage people to take responsibility for their own economies. The success of President Kaunda's 'Zambian humanism' relied on loyal government workers and companies promptly delivering the goods demanded by the people, but organisations that had been built with copious amounts of foreign expertise could not live up to such expectations. Loyalty to the state and to the United National Independence Party (UNIP) dwindled, and an 'every man for himself' approach seemed to spread. Perhaps it is no coincidence that many people turned to new, often church-related, organisations in this period.

The end of the one-party system: new opportunities

During the prelude to the elections of 1991, the one-party system was abolished. Kenneth Kaunda's UNIP, firmly entrenched since 1964, now had to compete with the Movement for Multiparty Democracy (MMD) led by trade union leader Frederick Chiluba. A vast majority of voters opted for Chiluba's platform, and hence for the rapid dissolution of the huge government apparatus with all its state companies. The result was mass dismissal of state employees, with no funds for unemployment benefits but plenty of room to manoeuvre for free-market entrepreneurs.

The social climate that emerged might be summed up in the phrase 'grab your chances'. The shops were full again and street traders especially flourished, largely selling cheap, often second-hand, products from abroad. The mines and other state companies were sold off cheaply to whoever had the courage to take a chance. Some were successful, others weren't. Some mines are now better run and earn profits from export, thus improving the country's creditworthiness. Other companies had to postpone urgently needed investments. In addition to trade, the transport sector welcomed many new entrepreneurs, bringing greater choice in public transport. For tourists, too, many new facilities were created. However, Zambia's own industry was still not taking off. Cheap foreign alternatives existed for every product that might be made in Zambia out of locally produced raw materials. The country became an attractive 'dumping ground' for foreign products, mainly from South Africa. Still, a number of industries were able to survive and even managed to export goods such as cement, cotton yarn and fabrics, beer and soft drinks.

De jaren tachtig: economische hervormingen zetten de maatschappij onder druk

In de jaren tachtig wil het Internationaal Monetair Fonds geen geld meer storten in bodemloze putten en weet het fonds voor de vele landen die met Zambia in het zelfde bootje zitten de oplossing: afslanken en privatiseren. De idee erachter was dat hierdoor de mensen hun verantwoordelijkheid wel zouden leren nemen. Het 'Zambiaans humanisme' van president Kaunda moest het juist hebben van loyaal overheidspersoneel en dito bedrijven die zonder mankeren leveren wat de mensen nodig hadden. De organisaties die daartoe met veel buitenlandse deskundigheid waren opgezet, konden hun taken niet aan. De loyaliteit aan de staat en aan Kaunda's *United National Independence Party* (UNIP) brokkelde af en het werd steeds meer: 'ieder voor zich en God voor ons allen'. Het is niet toevallig dat juist in deze periode veel mensen zich tot nieuwe, vaak aan de kerken gelieerde, bewegingen wendden.

Einde van de éénpartijstaat: nieuwe kansen

Tijdens het voorspel tot de verkiezingen van 1991 werd de éénpartijstaat opgeheven en moest de sinds 1964 rotsvast in het zadel zittende UNIP het opnemen tegen de *Movement for Multiparty Democracy* onder leiding van vakbondsman Frederick Chiluba. De mensen kozen massaal voor de nieuwe orde van Chiluba en daarmee voor snelle ontbinding van het kolossale overheidsapparaat met al die staatsbedrijven. Het gevolg was dat er massale ontslagen vielen, zonder geld voor fatsoenlijke uitkeringen. Er kwam wel veel meer speelruimte voor vrije ondernemers.

Er ontstond een sociaal klimaat van 'grijp je kansen'. De winkels raakten weer vol en vooral de straathandel bloeide door de verkoop van goedkope, vaak tweedehands, spullen uit het buitenland. De mijnen en andere staatsbedrijven werden voor weinig geld verkocht aan wie het maar aandurfde er iets mee te doen. De uitkomst was echter niet altijd even succesvol. Sommige mijnen draaiden weer beter en verdienden aan de export, waardoor het land weer iets kredietwaardiger is geworden. Bij andere bedrijven echter, bleven de hoognodige investeringen vooralsnog uit. Naast de handel is het vooral de transportsector, waar zich veel nieuwe ondernemers aandienden, waardoor er ook veel meer keus in het openbaar vervoer is gekomen. Ook voor toeristen kwamen er in korte tijd veel voorzieningen en arrangementen bij. Maar met de eigen industrie wilde het nog helemaal niet lukken. Voor alles wat je in Zambia van lokale grondstoffen zou kunnen maken zijn goedkope alternatieven uit het buitenland te halen. Zambia werd een aantrekkelijke 'stortplaats' voor producten uit met name Zuid-Afrika. Toch zijn er een paar fabrieken, die zich wel hebben kunnen handhaven en zelfs aan export van cement, katoenen garens en stoffen, bier en frisdranken toekwamen.

15

Slow agricultural growth

Zambia's farmers (a few thousand big ones as well as millions of small ones) have mostly had to cope with hard times over the last forty years. One reason for this is that the government, with its monopoly on agricultural trade, almost always delivered fertilisers and other inputs too late and lagged behind in collecting and buying the harvest. That said, a large proportion of the land has been and is being cultivated by small farmers. Vast areas of woodland have been cut for this purpose, with a lot of the wood sold as fuel or used to produce charcoal. This is probably the most visible change for someone visiting Zambia forty years on.

Despite the population growing from less than four million to over ten million people, sufficient food has been produced to feed them over the years. Harvests may have failed locally, but – in principle – this has been balanced by overproduction elsewhere in the country. Famine has mainly been a distribution problem. To help small farmers increase their incomes, foreign money was invested in the production and processing of new crops such as coffee, tea, flowers, and vegetables and fruit for export. Similar projects were also started for traditional market crops such as cotton and tobacco. Unfortunately, foreign development organisations invested similar amounts in other countries, causing global market prices to drop. It might thus appear that such donors have mainly furthered their own interests.

Perhaps the most important lesson for Zambia after forty years of development aid is that it should trust its own strengths. Most foreign development workers look after themselves in the first place, and it is

■ *1970. Cairo road, Lusaka. (1)*

■ *1991. Cairo road, seen from the Kafue roundabout. Lusaka.*
Cairo road, gezien vanaf de Kafue-rotonde. (2)

■ *1973. Between Mongu and Kalabo the Zambezi flood plains are 60 km wide.*
Tracks in the sand are passable by car for only four months per year.
Tussen Mongu en Kalabo zijn de uiterwaarden van de Zambezi 60 km breed.
De karresporen in het zand zijn slechts vier maanden per jaar berijdbaar. (3)

■ *1972. Lusaka. (4)*

■ *1997. One of many colourful insects in Zambia.*
Een van de vele kleurrijke insecten in Zambia. (5)

■ *Ant hill. Luangwa Valley National Park.*
Termietenheuvel. (6)

■ *2003. Elephants on the camping. Luangwa Valley National Park.*
Olifanten op de camping. (7)

Moeizame groei in de landbouw

Alle boeren, zowel de paar duizend grote als de miljoenen kleintjes, hebben het de afgelopen 40 jaar moeilijk gehad. Dit kwam vooral omdat de overheid, die hierbij een monopoliepositie innam, met de levering van kunstmest en andere 'inputs' en met het ophalen en opkopen van de oogst bijna altijd te laat was. Toch is er, vooral door de kleine boeren, in deze jaren veel grond in cultuur gebracht. Hiertoe zijn enorme arealen bos gekapt, waarvan het hout tot houtskool werd verwerkt en als brandstof verkocht. Dit is misschien wel de meest in het oog springende verandering voor iemand die na 40 jaar Zambia weer eens bezoekt.

Hoewel de bevolking zich in de afgelopen 40 jaar bijna verdrievoudigd heeft – van nog geen vier miljoen naar ruim tien miljoen – is er voor al die mensen steeds voldoende voedsel geproduceerd. Plaatselijk wilde de oogst wel eens mislukken, maar daar stond dan in principe genoeg productie elders tegenover. Honger was in de eerste plaats een distributieprobleem. Om de kleine boeren aan meer inkomen te helpen werd er, met buitenlands geld, geïnvesteerd in de productie en verwerking voor de export van nieuwe gewassen zoals koffie, thee, bloemen, groentes en fruit. Ook voor 'oude' marktgewassen als katoen en tabak werden vergelijkbare projecten gestart. Helaas investeerden de buitenlandse hulpverleners even hard in veel andere landen, zodat de wereldprijzen laag waren op het moment dat Zambia mee ging doen.

Misschien is de belangrijkste les voor Zambia na 40 jaar ontwikkelingshulp wel dat het land vooral op eigen kracht moet vertrouwen, want de meeste buitenlandse hulpverleners helpen vooral zichzelf. Het is niet vanzelfsprekend, dat er iets voor de ontvangers overblijft waar ze echt iets aan hebben. Ze moeten vaak zelfs oppassen dat ze niet betalen voor de 'hulp' die de donoren verstrekten.

Het jaar 2000 en verder

De verkiezingen van 2001 resulteerden opnieuw in een vreedzame machtswisseling. In vergelijking met de meeste Afrikaanse landen is Zambia een heel fatsoenlijk land waarin de redelijkheid, na alle drama, toch steeds zegeviert. Af en toe was het best spannend en dreigde kortzichtig cynisme de overhand te krijgen. Maar ondanks hun beperkte vrijheid zijn de media altijd in staat geweest dit aan de kaak te stellen. Ze werden daarbij gesteund door een groeiend aantal onafhankelijke maatschappelijke organisaties, waaronder de kerken, vakbonden, kamers van koophandel en andere sociaal-maatschappelijke actiegroepen. Er waren ook altijd leiders te vinden die wat aan de gesignaleerde misstanden wilden en konden doen. Zo kunnen milieuproblemen en schendingen van de mensenrechten in Zambia in openheid worden

17

by no means obvious that the recipients enjoy real and lasting benefits – indeed they often have to struggle to avoid paying donors for the aid that donor agencies have paid to their own staff.

Into the new millennium

The elections of 2001 resulted in another non-violent change of power. In the African context, Zambia stands out as a country where – despite all the drama – reason and decency have prevailed time and again. This is not to deny the various tensions that exist and the short-sighted cynicism that has sometimes appeared to hold sway. It is to the credit of Zambia's media that, despite their limited freedom, they have repeatedly succeeded in bringing such issues out into the open. In this they have been supported by a growing number of non-governmental organisations, including the churches, trade unions, chambers of commerce and other interest groups and charities. There has been no shortage of talented leaders willing to address such problems, including environmental and human rights issues.

The country's third president, Levi Mwanawasa, has now formed a coalition government and wants to make a fresh start, which among other things will involve bringing to (fair) trial those who may have defrauded the state or committed other crimes. Zambia certainly faces many thorny problems and serious challenges – not least the terrible toll taken by HIV/AIDS – but there is every reason to have confidence in the future of this beautiful country, blessed as it is with so many wise and energetic people.

aangekaart en wordt er vervolgens oprecht naar oplossingen gezocht. Inmiddels heeft de derde president, Levi Mwanawasa, een coalitieregering geformeerd, die schoon schip wil maken door iedereen die in het verleden de staat heeft bestolen of op andere manier de wet heeft overtreden (eerlijk) te berechten. Ondanks de vele problemen die Zambia heeft, waaronder het diepingrijpende aids-drama, is er alle reden de toekomst van dit prachtige land met zoveel verstandige en levenslustige mensen met vertrouwen tegemoet te zien.

■ 1973. *Fungus mushroom in our garden.*
Een schimmelpaddestoel in onze tuin. (1)

■ 2003. *Party marking successful agricultural project. Mporokoso District.*
Feest ter gelegenheid van een afgerond landbouwproject. (2)

■ 1973. *Sunset over Nyamaluma Camp, a camp for educational purposes. The hippo's grunt over the water. At night you hear the hyenas howl ... Luangwa Valley National Park.*
Zonsondergang bij Nyamaluma, een kamp voor educatief verblijf. De nijlpaarden brommen over het water. 's Nachts huilen de hyena's ... (3)

■ 2002. *This frangipani tree has only one stem, but flowers of two different colours! Kalabo.*
Deze frangipaniboom heeft één stam, maar bloemen van twee zeer verschillende kleuren! (4)

■ 1980. *This baobab tree offers a superb view of the area around the Mosi oa Tunya Falls ('The smoke that thunders') near Livingstone.*
Deze apenbroodboom met uitkijkpost biedt een fraai uitzicht over het gebied rond de Mosi oa Tunya ('De rook die dondert') watervallen bij Livingstone. (5)

■ 1972. *Kafue roundabout. Lusaka. Kafue-rotonde. (6)*

■ 1996. *The beauty of the Lumangwe Falls in the north is unspoilt: in any one year only a couple of dozen tourists venture this far.*
De ongerepte Lumangwe watervallen in het noorden zijn prachtig. Hier komen hooguit twee toeristen per maand. (7)

20

■ *1996. Refugee boys preparing caterpillars from the forest for sale at the local market. North-Western Province.*
Vluchtelingenjongens bereiden grote rupsen uit het bos om te verkopen op de lokale markt.

Ups and downs in rural development
Ups and downs in plattelandsontwikkeling

Dick Jaeger

■ *1967. Women often have to cover long distances when carrying produce from their gardens to the village or market.*
Vrouwen moeten vaak flinke afstanden afleggen om producten uit hun tuinen naar dorp of markt te brengen.

In 1966 a group of Dutch volunteers journeyed to a remote location in the district of Kasempa, Northwestern Province. Even at that time, they expected that the modernisation of agriculture would take at least a full generation. They were not wrong.

Now, nearly four decades later, the local population still lives in small, scattered and remote villages. The women continue to cook on open fires and still walk long distances to carry water from small streams. From time to time, portions of the forest are set on fire to create new planting fields. The system of *chitemene*, or 'slash and burn', is still very much alive, even today, and most of the food comes from small subsistence farms.

That said, the population – despite doubling in the last twenty years – does not go hungry, and there is enough new land for farming. Numerous rivers provide sufficient water for use in households as well as for vegetable plots. The bush yields firewood, honey, mushrooms, and roots for both eating and medicinal purposes, while hunting provides game meat. The overall picture has changed little since 1966.

Agricultural policy since 1964

After independence, one of the government's aims was to strengthen the agricultural sector. A great deal of government and donor funding went to farmers in rural areas, encouraging them to produce a greater surplus of food crops, as well as selected non-food cash crops, for the market. So what became of the millions of dollars invested in Kasempa District? What is left of the contributions made by the Organisation of Netherlands Volunteers (ONV) and by all those other foreign experts between 1966 and 1986?

To put it simply: nothing is left. During my recent visit I found dilapidated workshops, vandalised cattle-breeding schemes, broken handpumps and windmills (installed for the provision of water) and a ramshackle farmers' training centre. To my amazement, this centre was still staffed, growing food for its own personnel and maize and cotton for sale.

How is it that so much investment seems to have disappeared into a bottomless pit? Partly this is due to bad planning by the Zambian government and its advisors. The prevailing policy was based on advanced planning characterised by over-hasty mechanisation, such as introducing tractors and diesel-powered water pumps hitherto hardly known in the area. Another failure appears to have been the siting of new farms on higher land, too far from the rivers. The high expectations of impatient donors – 'big is beautiful' – did not help either.

Toen wij in 1966 met een groepje Nederlandse vrijwilligers op weg gingen naar een afgelegen plek in het district Kasempa, *Northwestern Province*, beseften wij al dat de modernisering van de landbouw zeker een generatie zou duren.

Nu, na veertig jaar, woont de bevolking nog steeds in verspreid liggende dorpjes. De vrouwen zijn op open vuren blijven koken; ze moeten nog altijd een behoorlijke afstand lopen om water uit een riviertje te halen. Regelmatig worden stukken bos in brand gestoken om ruimte voor een nieuw sorghumveld te creëren. Het *chitemene* systeem ('slash and burn') is nog steeds volop in zwang, en het voedsel komt nog grotendeels uit de zelfvoorzieningslandbouw.

Maar er wordt geen honger geleden. Hoewel de bevolking de afgelopen twintig jaar is verdubbeld, is er voldoende land voor nieuwe veldjes. Vele riviertjes zorgen voor voldoende water, zowel voor huishoudelijk gebruik als voor de groententuintjes. De *bush* levert brandhout, bijenhoning, paddestoelen, wortels met voedings- of medicinale waarde, en af en toe wordt er nog wat wild geschoten. Het beeld toont veel overeenkomsten met dat van 1966.

Landbouwbeleid na 1964

Het overheidsbeleid is sinds 1964 mede gericht geweest op versterking van de landbouwsector. Veel overheidsgeld en steun van donoren ging naar de boeren in de afgelegen delen van het land om zo tot een hogere en op de markt gerichte productie te komen. Er werden miljoenen dollars geïnvesteerd in Kasempa district. Wat is hiervan over? Wat resteert van de inbreng van twintig jaar (1966-1986) vrijwilligerswerk door de Stichting Nederlandse Vrijwilligers (SNV), en van de vele buitenlandse experts? 'Kort door de bocht' kan gezegd worden dat van deze inbreng niets meer over is. Er staan nog wat vervallen werkplaatsen, gevandaliseerde veefokkerijen, kapotte handpompen en windmolens voor de watervoorziening, en een totaal vervallen opleidingscentrum voor boeren. Dit centrum heeft tot mijn verbazing nog wel personeel. Zij verbouwen voedsel voor eigen gebruik en wat maïs en katoen voor de verkoop.

Al die investeringen lijken in een bodemloze put verdwenen. Voor een deel komt dit door slechte planning van de Zambiaanse overheid en haar adviseurs, en door te hooggespannen verwachtingen van ongeduldige donoren. Men hanteerde een te geavanceerde opzet, gebaseerd op mechanisatie met tractoren en op diesel werkende waterpompen. Ook de vestiging van nieuwe boerderijen op hoger gelegen gronden – te ver weg van de riviertjes – is een misser gebleken. Ook macro-economische maatregelen speelden een rol. Hierbij moet gedacht worden aan een te snelle liberalisering van het vermarktingsysteem, en aan de

Macro-economic measures also played their part. Likely culprits were a hastily implemented liberalisation of the market system and the abolishment of subsidies primarily on fertiliser. These new measures were implemented under pressure from the International Monetary Fund (IMF), the World Bank and the Structural Adjustment Programme. They have had some beneficial effects, but their impact on the farming population in remote areas, which was extremely dependent on governmental help, was far from positive. The continuous changes in agricultural policy did not help the small-scale farmers either. Add to this the effects of a deteriorating national economy, and the sorry picture is complete.

Promising schemes abandoned

In the 1970s and 1980s, hundreds of farmers settled on a variety of agricultural projects and began growing maize for the internal market, supported by good information and training, tractors, water pumps and subsidised inputs such as fertiliser and hybrid seed. Assisted by continued efforts from the ONV, an extremely promising cattle-breeding scheme was started aimed at replacing tractors by ox-drawn ploughs

■ *1987. Cattle crossing the path. Nyanje, Eastern Province.*
Vee op de weg. (1)

■ *1985. Market stall near a bus stop: plenty of casava. Kapiri Mposhi.*
Marktstalletje bij bushalte: cassave in overvloed. (2)

■ *1968. Medium-sized farms in remote areas sell many products: vegetables, fruit, maize, chicken, fish. Hence the signboard: 'All available'.*
Middelgrote boerenbedrijven ver van de steden verkopen vele producten: groenten, fruit, maïs, kippen, vis. Vandaar het reclamebord: 'All available'. (3)

■ *2002. In remote areas many projects aimed at the mechanisation of agriculture proved a failure.*
In afgelegen gebieden zijn veel landbouwprojecten die gebaseerd waren op tractormechanisatie, mislukt. (4)

■ *2000. Market stalls. During the past 20 years dozens of small enterprises were opened here. Profits are small. Serenje.*
Marktstalletjes. De afgelopen 20 jaar zijn hier tientallen bedrijfjes gesticht. De verdiensten zijn mager. (5)

■ *1987. Transporting a pig. Nyanje.*
Zo vervoer je een varken. (6)

■ *1997. Livingstone.*
(7)

■ *1996. Children help to earn a living for the family by fishing. Chulu Lagoon.*
Kinderen leveren een bijdrage aan het gezinsinkomen door te helpen bij de visvangst. (8)

■ *1973. Water and cows remind us of the Netherlands. Western Province.*
Water en koeien doen ons aan Nederland denken. (9)

afschaffing van subsidies, met name die op kunstmest. Deze maatregelen werden onder druk van het Internationaal Monetair Fonds (IMF) en de Wereldbank uitgevoerd, en maakten deel uit van het aan Zambia opgelegde 'structurele aanpassingsprogramma' (SAP). Dit SAP had weliswaar een aantal positieve gevolgen, maar voor de afgelegen boerenbevolking, die sterk afhankelijk was van overheidshulp, heeft het negatief gewerkt. De voortdurende veranderingen in het landbouwbeleid troffen en treffen juist de kleine boeren. Voeg daarbij de effecten van een bijna voortdurend verslechterende nationale economie en het plaatje is compleet.

Veelbelovende projecten te niet gedaan

In de jaren zeventig en tachtig vestigden zich honderden boeren op allerlei landbouwprojecten en begonnen – ondersteund door goede voorlichting, tractoren, waterpompen, en gesubsidieerde *inputs* zoals kunstmest en hybride zaad – met de productie van vooral maïs voor de binnenlandse markt. Met veel inzet van SNV werd een veelbelovend veefokprogramma gestart, om tractormechanisatie te kunnen vervangen door ossenploeg en ossenwagen. In de jaren tachtig werden redelijk hoge maïsopbrengsten bereikt.

Nu zijn deze projecten geheel verlaten. Grote gebieden met goede rode kleigrond liggen braak en veranderen langzaamaan weer in bush. De boeren hebben zich teruggetrokken en wonen weer net als vroeger langs de riviertjes. Ze leven van de opbrengst van tuintjes en hebben wat producten over voor de verkoop. Dit beeld geldt voor veel landbouwprojecten in de afgelegen streken van Zambia. Grote delen van de bevolking zijn weer teruggekeerd naar de zelfvoorzieningslandbouw. Men moet wel, het is een overlevingsstrategie. Dat men niet uit vrije wil voor het boerenbestaan kiest, blijkt uit het feit dat veel mannelijke of vrouwelijke boeren geen opvolger kunnen vinden. Men zoekt liever werk in de stad, of een baan als onderwijzer in de eigen streek.

Positieve ontwikkelingen

Ondanks de genoemde tegenslagen is er toch veel ten goede veranderd, weliswaar vaak op kleine schaal, maar daarmee ecologisch beter afgestemd op de mogelijkheden en beperktheden van het gebied.

Er worden bijvoorbeeld in het hele district dammen en waterkanaaltjes aangelegd voor het irrigeren van groententuinen en voor de aanleg van visvijvers. Ook is de introductie van vee in het gebied geleidelijk aan goed op gang gekomen en worden ossen gebruikt voor het ploegen en voor het vervoer naar de markt.
Het aantal scholen en plattelandsklinieken is met steun van donoren

25

and oxcarts. Fairly large harvests of maize were achieved in the 1980s.

These projects have now been totally abandoned: huge areas with good, red clay soil lie undeveloped and are slowly reverting back into bush. The farmers have retreated and live again, as before, near the rivers. They farm small gardens for their own needs and to sell a small amount of produce. The same has happened to many of the agricultural projects in other rural areas of Zambia: large parts of the population have resorted to subsistence farming again. They have to, simply to survive. It is clear that many would not freely choose to be farmers, as many – male and female – cannot find successors to take over their farms. People prefer working in the city or teaching in their own region.

Positive developments

Despite these setbacks, there have been positive changes in Kasempa District, albeit mainly on a small scale. The area is now better adapted, ecologically, to local possibilities and limitations.

For example, small dams and canals have been built throughout the district to supply water for vegetable farming and fishponds. The introduction of cattle to the area has made also gradual progress, with the population employing them for ploughing and for oxcart transport to the market.
With the support of donors, the number of schools and rural health centres has almost doubled. The villages are neat in appearance and the construction quality of the houses has greatly improved, with far fewer earthen huts than in the past. Even in the more remote villages there are small stores where salt, sugar, cooking oil, soap, clothing, shoes and other such items can be bought.

An asphalt road has been built from Kasempa to the provincial capital Solwezi. This has stimulated the economic growth of the area, and several new villages have appeared along this road. Kasempa Township itself has greatly expanded in the past few years; it now has a market, many small stores, a restaurant, rest houses and several secondary schools.

'Hammer mills' have proliferated everywhere. Many women can now afford to bring their main food staples such as sorghum and maize to these grain mills for grinding regularly, instead of having to do it themselves in the village. The informal economy is also blossoming, with a great deal of personal commerce such as bartering taking place. Goods and services are often paid for in kind.

bijna verdubbeld. De dorpen zien er nu netjes uit, en de constructie van huizen is sterk verbeterd. Je ziet ook minder lemen hutten. Zelfs in de meer afgelegen dorpen zijn winkeltjes waar zout, suiker, olie, zeep, kleren, schoenen, en dergelijke worden verkocht.

Er is tegenwoordig een asfaltweg van Kasempa naar de provinciehoofdplaats Solwezi. Deze weg bevordert de economische groei van het gebied en er ontstaan meer dorpen langs deze weg. Het centrum van Kasempa is in de loop der jaren sterk gegroeid, het heeft nu een markt, veel winkeltjes, een restaurant, *resthouses*, en meerdere middelbare scholen.

Overal zie je nu graanmolens. In plaats van zelf sorghum of maïs in het dorp te stampen, kunnen vrouwen het zich tegenwoordig veroorloven om regelmatig naar een graanmolen te gaan om daar hun hoofdvoedsel te laten malen. De informele economie bloeit, er is veel onderlinge handel, waaronder veel ruilhandel. Voor arbeid en dienstverlening wordt vaak in natura betaald.

Men ziet veel meer kerken dan vroeger, behorend tot vele verschillende denominaties. De kerkgebouwen worden goed onderhouden en de leden vormen 'actieve gemeenschappen'.

De toekomst

Voor de afgelegen plattelandsgebieden blijft directe en indirecte overheidssteun en een actief landbouwbeleid nodig. Macro-economisch gezien kan dit voor een land als Zambia alleen geëffectueerd worden,

■ *1983. The annual agricultural show is one great happening, also for the children on this locally made merry-go-round. Katete, Eastern Province.*
De jaarlijkse landbouwtentoonstelling is ook voor kinderen een groot feest, mede dankzij deze draaimolen van plaatselijke makelij. (1)

■ *1987. Portrait of a man. Nyanje, Eastern Province.*
Portret van een man. (2)

■ *1997. Laughter brings life. Livingstone.*
Lachen doet je goed. (3)

■ *1982. Grade 1. Nyanje Primary School.*
De eerste klas van de basisschool. (4)

■ *1997. Meeting about aids. Eastern Province.*
Voorlichtingsbijeenkomst over Aids. (5)

■ *1997. Katete. (6)*

26

Another noticeable change is that there are more churches than in the past, representing many different denominations. Church buildings are generally kept in a good state of repair, and church members form 'active communities'.

The future

For remote rural areas such as Kasempa, it is vital that direct and indirect governmental support is supplied and an active agricultural policy pursued. But, for a country like Zambia, this can only work on a macro-economic level if world trade relations change dramatically in favour of the developing countries. Should these patterns not change, Zambia's small farmers will be forced to survive on subsistence agriculture alone – even with continued development aid, Zambia and other developing nations in Africa will be running on the spot and getting nowhere fast. In recent years, net official development aid to Zambia in other words, its receipts minus its debt payments – has amounted to between a quarter and a third of the country's gross domestic product (*Human Development Report 2002* and *2003*, UNDP).

This income could be honourably earned if African farmers received better prices for their produce and gained easier access to developed – world markets. As long as the United States and the European Union continue to lavishly subsidise their own farmers, however, African farmers stand little chance of exporting to these markets. At the same time, all agricultural subsidies in Africa have been ruled out by the IMF and the World Bank. A cow in Europe receives an average subsidy of $ 2.50 a day, which is more than the average daily income per head of the Zambian population: about $ 1.00 (*Human Development Report 2003*, UNDP). Evidently, there is still an enormous amount of work to be done in world trade negotiations.

wanneer de wereldhandelsverhoudingen meer ten gunste van de ontwikkelingslanden gewijzigd worden. Wordt dit niet gedaan, dan zullen de kleine boeren zich noodgedwongen nog lang moeten beperken tot de kleinschalige zelfvoorzieningslandbouw. Ook voortgezette ontwikkelingshulp aan Zambia – en andere ontwikkelingslanden in Afrika – is dan dweilen met de kraan open. Over de laatste jaren bedroeg de netto officiële ontwikkelingshulp aan Zambia – anders gezegd de ontvangsten minus de schuldaflossingen – tussen een kwart en een derde van het bruto nationaal product (*Human Development Report 2002* en *2003*, UNDP).

Dit inkomen zou eervol verdiend kunnen worden indien landbouwproducten uit Afrika een betere prijs op de wereldmarkt zouden krijgen en de 'Westerse' markten voor Afrika beter toegankelijk zouden worden. Zolang de Verenigde Staten en de Europese Unie echter doorgaan hun eigen boeren ruimhartig te subsidiëren, hebben boeren in Afrika weinig kans de Westerse consument te bedienen. Tegelijkertijd worden door IMF en Wereldbank alle landbouwsubsidies in Afrika afgewezen. Een koe in Europa krijgt met $ 2,50 meer subsidie per dag, dan een Zambiaan verdient met een gemiddeld daginkomen van een amerikaanse dollar (*Human Development Report 2003*, UNDP). Er is nog veel werk aan de winkel tijdens internationale handelsbesprekingen.

29

■ *1997. Old lady brewing beer for the family. Livingstone.*
Oude vrouw brouwt bier voor de familie.

30

■ *1998. From a typing machine to a computer: a step ahead?*
Van de typemachine naar de computer: een stap vooruit?

Women
Vrouwen

Thera Rasing

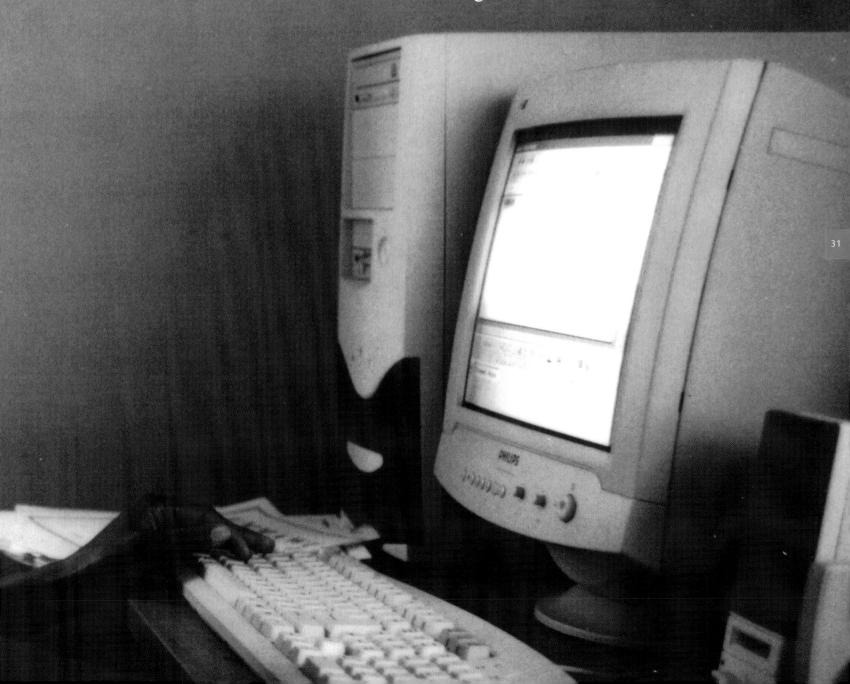

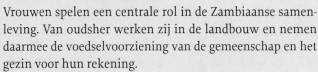

Women and agriculture

Women play a central role in Zambian society. For centuries they have done the bulk of the agricultural work and thus ensured the food supply, both for society as a whole and for their own families in particular.

In the heavily urbanised Zambia of today, many women still own a piece of land on which they grow vegetables, maize and groundnuts. But the position of women in agriculture has been deteriorating over the last century, especially in the cities. One result is that they are forced to buy products to supplement the yields of their own plots. In the current money-oriented society, this is sometimes their own choice: having a good job means that you can afford to buy your food more easily.

Paid and voluntary work

When women migrated to the cities from the 1930s onwards, they took care of the housekeeping and of their children, and also acquired new tasks such as the brewing and selling of beer and the sale of vegetables. At a later stage they also began to get employment in education and in health care. In the last decades of the 20th century, a period in which many men lost their jobs, women continued working out of the home. Often they earned supplementary incomes, on top of their paid jobs, by selling the crops from their land, the clothes they made and the scones they baked, and from trading activities – many women travelled to the borders of neighbouring countries to buy cheap merchandise that they could sell at a profit elsewhere. In these ways they added to their families' incomes and indeed were often the sole breadwinners. Nowadays, many women whose first marriages end in divorce choose to remain single and to live together with their children and other members of the family. As they often are the breadwinners anyway,

◼ *1980. Home brewed maize beer. Takes seven days to ferment, hence the name: 'seven days'!*
Thuisgebrouwen maïsbier. Het fermenteren duurt zeven dagen dus: 'zeven-dagen'! (1)

◼ *1980. Cooking maize meal. If there is enough it is cooked three times a day: in the morning a thin porridge eaten with sugar, at lunchtime and in the evening a thick substance, firmer than mashed potatoes, eaten with relish.*
Het koken van maïsmeel. Als het gezin voldoende heeft, wordt het drie keer per dag gegeten: 's ochtends als een dunne pap met suiker, bij de lunch en 's avonds dik, steviger dan aardappelpuree, samen met groente (en vlees als het inkomen dat toelaat). (2)

◼ *2000. Zambian hospitality. You won't be able to leave the poorest household without having eaten nshima. Chongwe, Central Province.*
Zambiaanse gastvrijheid. Het armste erf kun je niet verlaten zonder nshima te hebben gegeten. (3)

◼ *1967. Pounding maize. The meal is used for cooking nshima. Mkushi area.*
Vrouwen stampen maïs tot meel om daarna nshima te maken. (4)

Vrouwen en landbouw

Vrouwen spelen een centrale rol in de Zambiaanse samenleving. Van oudsher werken zij in de landbouw en nemen daarmee de voedselvoorziening van de gemeenschap en het gezin voor hun rekening.

Ook in het huidige, sterk verstedelijkte, Zambia hebben veel vrouwen nog een stukje land dat zij bewerken en waarop zij groenten, maïs en aardnoten verbouwen. De positie van vrouwen in de landbouw is echter de laatste decennia, vooral in de steden, verslechterd en naast de producten van hun stukje land, zijn velen genoodzaakt aanvullend voedsel te kopen. Soms is dit ook een bewuste keuze binnen de huidige geldmaatschappij: heb je goed betaald werk, dan kun je je makkelijker veroorloven om voedsel te kopen.

Betaald en onbetaald werk

Toen vrouwen vanaf 1930 naar de steden migreerden, zorgden zij niet alleen voor het huishouden en de kinderen, maar kregen zij er ook nieuwe taken bij, zoals het brouwen en verkopen van bier en het verkopen van groenten. Nog later gingen zij buitenshuis werken in het onderwijs en de gezondheidszorg.
In de laatste decennia van de twintigste eeuw, toen veel mannen hun baan verloren, bleven vrouwen buitenshuis werken. Naast een betaalde baan verkochten ze bijvoorbeeld producten van hun land, zelfgemaakte kleding en *scones* of andere lekkernijen uit eigen keuken. Anderen reisden naar de grenzen met de buurlanden, om daar goedkope spullen in te kopen om elders weer te verkopen. Op deze manieren droegen zij aanzienlijk bij aan het gezinsinkomen, en waren vaak zelfs de enige kostwinner.

Tegenwoordig kiezen veel vrouwen er voor om na een eerste huwelijk en de daarop volgende echtscheiding, niet meer te trouwen, en samen te wonen met hun kinderen en andere familieleden. Dit is financieel vaak beter, aangezien zij meestal toch al de kostwinner zijn, en zo houden zij tot op zekere hoogte hun onafhankelijkheid.

Na Zambia's onafhankelijkheid is er geleidelijk aan een middenklasse ontstaan, die vooral woonachtig is in de steden langs de zogenoemde '*line-of-rail*'. Veel vrouwen die tot deze klasse behoren hebben een redelijke opleiding gehad, zijn werkzaam als secretaresse, onderwijzeres of verpleegkundige, maar later ook steeds vaker als politieagent of journalist. De lonen zijn echter zo laag, dat ook deze vrouwen naast hun betaalde baan gedwongen worden om op andere manieren inkomsten te verwerven.

33

this tends to be financially more viable, and it also enables these women to remain more or less independent.

After Zambia's independence, a middle class gradually came into being, living mainly in the towns and cities along the so-called 'line of rail'. Many of the women who belonged to this class had a good education and found work as secretaries, teachers or nurses, and later on also as policewomen and journalists. However, the inadequacy of these women's wages means that they too have often been forced to earn additional money outside their regular jobs.

Women and social problems

Since independence, social control within the traditional extended family has, to a large extent, collapsed. This is mainly due to the migration to urban areas, to the fact that newly-wed couples no longer live with their in-laws, and finally because the elderly members of the extended family remained behind in their villages. As a result, a physical and emotional gap began to open up between grandparents and their grandchildren, and the tradition of the whole community taking part in the education of the children evaporated.

Over the last decades, increasing levels of domestic violence have been reported. True, women can turn for help to special police teams, the 'victim support groups', but these do not take much action against domestic violence. Fortunately, special women's groups, such as the Young Women's Christian Association, are active in caring for battered women.

The growing number of HIV/AIDS sufferers over the last few years has placed yet more responsibilities on women. As well as caring for the sick, they also look after the HIV/AIDS orphans. As many mothers are themselves afflicted with the illness and cannot look after their children, grandparents are very often burdened with the care of their grandchildren. Unfortunately, quite a few people still believe the myth that HIV/AIDS can be cured by having sex with a young girl, and this accounts for a lot of sexual abuse against young girls at the moment.

Women and charity

Many people in Zambia belong to a church. In nearly all of these churches women have formed their own groups, which meet weekly to read the bible, pray, clean the church, and to carry out charity work such as visiting the sick, attending funerals, comforting the bereaved and collecting money for the sick and elderly. Interestingly, these women's organisations typically refuse to bow to the authority of the mainly male church hierarchies. During my PhD research I discovered that

Vrouwen en sociale problemen

Sinds de onafhankelijkheid van Zambia is een groot deel van de sociale controle binnen de grootfamilie weggevallen. Dit komt vooral door de migratie naar het stedelijk gebied, het niet meer bij de (schoon)ouders introuwen van een pasgetrouwd echtpaar, en het wegvallen van de oudere leden van de grootfamilie, die veelal in de dorpen achter bleven. Hierdoor ontstond een fysieke en emotionele afstand tussen grootouders en hun kleinkinderen en verdween de gewoonte dat kinderen mede door hun grootouders en mensen uit de gemeenschap werden opgevoed. Ook is er de laatste decennia een toenemend huiselijk geweld te constateren. Tegenwoordig kunnen vrouwen hulp zoeken bij speciale teams van de politie, de *victim support groups*, die echter weinig tegen huiselijk geweld optreden. Gelukkig kan men wel terecht bij speciale vrouwengroepen, zoals de *Young Women's Christian Association*, die voor opvang van mishandelde vrouwen zorgen.

Door het toenemend aantal HIV/aids patiënten is de laatste jaren de zorgtaak voor vrouwen nog groter geworden, ook omdat zij zich vaak het lot van weeskinderen aantrekken. Doordat veel moeders HIV/aids hebben en daardoor niet voor hun kinderen kunnen zorgen, nemen de grootouders de zorg voor hun kleinkinderen over. Helaas heerst nog steeds de mythe dat mannen van HIV/aids kunnen genezen door seksuele gemeenschap te hebben met een jong meisje. Dit waandenkbeeld werkt sexueel misbruik van jonge meisjes sterk in de hand.

Vrouwen en sociale zorg

Veel mensen in Zambia zijn lid van een kerk. In bijna alle kerken zijn vrouwen georganiseerd in eigen groepen waarvan de leden wekelijks bij elkaar komen om onder andere de bijbel te lezen, te bidden en liefdadigheidswerk te doen, zoals het bezoeken van zieken, het aanwezig

■ *2002. On the bank of the Zambezi river.*
Aan de oever van de Zambezi. Sesheke. (1)

■ *1987. Nyanje. Eastern Province. (2)*

■ *1966. Public ceremony at end of secluded initiation period. Sala Reserve, Lusaka Rural District.*
Feest na periode van initiatie in afzondering. (3)

■ *1987. Nyanje. Eastern Province. (4)*

■ *1973. Boys with home made toys. Kalabo.*
Jongens met zelfgemaakt speelgoed. (5)

■ *2003. Queuing for the clinic. Makeni Ecumenical Centre, Lusaka.*
In de rij voor de kliniek. (6)

■ *1982. Mbu and Mayke having a conversation.*
Mbu en Mayke in gesprek. (7)

■ *1993. These Bisa boys live in the Bangweulu Swamps and are expert fishermen.*
Deze Bisa kinderen in de Bangweulu-moerassen zijn volleerde vissers.

the deeply rooted standards and values of pre-colonial times were – and still are – passed on by these women's groups.

Women asserting their rights

Zambian women's many activities are often rather unobtrusive and attract little attention. At times, however, women have been militant in fighting various types of injustice. In the years between 1940 and 1950, for instance, women stood alongside their husbands in the mines and helped with the miners' strikes. They marched in the streets for higher wages and better working conditions, and demonstrated against the mine management.

Women also fight against injustice that is specifically directed against them as women. They regularly protest against sexual abuse and domestic violence and against 'property grabbing', a traditional custom by which a husband's family, after his death, impound some of the couple's property. Nowadays, this custom often results in the removal of their entire property, leaving the widow and her children destitute. Despite having been banned by law since 1989 – thanks to pressure from local NGOs and women's organisations – this custom continues, and so does the protest.

Another battle they have fought, and still fight, concerns the expulsion of pregnant girls from school. Women want such girls re-admitted to their schools after giving birth. A major victory was won in 1997, when re-admittance was enforced by law. Regrettably, however, Catholic schools are not complying with this law, so this particular struggle still continues.

That there is still a long way to go is shown by the percentage of women in Parliament, which stood at just 12 per cent in 2000. Moreover, the percentage of women ministers, deputy ministers and ministers of state was, at six per cent, even lower (*Human Development Report 2003*, UNDP).

Initiation rites

To become a fully-grown woman, a girl needs to undergo an initiation rite. Traditionally, nearly all the tribes in Zambia had such rites, and the custom is still very much alive even in urban areas.

The rite is usually carried out when a girl is 13 or 14 years old. The exact timing depends on signs of puberty such as the onset of menstruation or the development of breasts. The rite is mostly organised individually for each girl and lasts several weeks, although amongst some ethnic groups in the east of the country it can take months.

zijn bij begrafenissen, het geld inzamelen voor zieken en behoeftigen en het schoonmaken van de kerk. Interessant is dat deze vrouwenorganisaties als regel geweigerd hebben zich klakkeloos te schikken naar het gezag van het overwegend mannelijke en hiërarchische bestuur. Tijdens mijn promotieonderzoek bleek dat diep verankerde waarden en normen uit de prekoloniale samenleving via deze vrouwenverenigingen werden en worden doorgegeven.

Strijdbare vrouwen

In het algemeen zijn vrouwen dus heel actief bezig. Meestal werken zij in alle rust en stilte, en wordt aan hun activiteiten weinig aandacht besteed. Maar daarnaast treden zij regelmatig ook naar buiten om tegen onrecht te strijden. In de jaren 1940-1950 streden vrouwen bijvoorbeeld samen met hun mannen in de mijnen, en hielpen zij mee met de stakingen. Zo gingen ze de straat op voor hogere lonen en betere arbeidsomstandigheden en liepen ze mee in demonstraties tegen de mijndirectie.

Ook strijden vrouwen tegen onrecht dat hun als vrouwen wordt aangedaan. Zo werd er regelmatig geprotesteerd tegen seksueel en huiselijk geweld, en tegen de *property grabbing*, een traditioneel gebruik waarbij familieleden, na het overlijden van de echtgenoot, bezittingen van het echtpaar in beslag nemen. Dit is echter uitgegroeid tot het meenemen van alles, waarbij de weduwe en haar kinderen berooid achter blijven. Hoewel dit sinds 1989 bij wet verboden is – onder invloed van lokale NGO's en vrouwengroepen – gebeurt dit nog steeds en gaan de protesten hiertegen door.

Verder is, en wordt er nog steeds, gestreden om zwangere meisjes die van school werden gestuurd, na hun bevalling weer toe te laten. Na campagnes van vrouwenorganisaties is dit sinds 1997 bij wet geregeld. Helaas houden sommige katholieke scholen zich hier niet aan. Het blijft dus nodig om te strijden voor specifieke vrouwenrechten. Dat dit nodig is, laat ook het percentage vrouwen in het parlement zien, dit is slechts 12 procent. Het percentage ministers, onderministers en staatssecretarissen is met 6 procent nog lager (cijfers voor 2000 uit het *Human Development Report 2003*, UNDP).

Initiatieriten

Om een volwassen vrouw te worden moet een meisje een initiatierite ondergaan. Traditioneel kennen bijna alle etnische groepen in Zambia een initiatierite voor meisjes. Deze wordt nog steeds uitgevoerd, ook in de stedelijke gebieden.

Een initiatierite vindt meestal plaats als het meisje ongeveer dertien of veertien jaar is. Het precieze tijdstip is afhankelijk van biologische kenmerken, zoals haar eerste menstruatie of de groei van haar borsten.

During the rite the girl is instructed by her grandmother, one of her aunts and a traditional midwife. Through them she learns about the values of life and about social matters, and also receives instruction about sex, marriage and relationships with her in-laws.

During the rite the girl is separated from her social environment. This separation strengthens the girl so that she can cope with problems later in life. Towards the end of the rite the girl demonstrates the dances she has learned and in this way shows she has become a real woman.

Initiation rites are performed above all for girls, as one day they will be the central figure of their household and form the link between their children and their forefathers. This is why such attention is paid to transmitting all kinds of values and standards. In large parts of Zambia these arguments hold less for boys, as, according to most women, men have fewer social responsibilities.

De rite wordt doorgaans voor elk meisje apart georganiseerd en de duur ervan varieert van enkele weken, tot – vooral bij etnische groepen uit het oosten van Zambia – enkele maanden.

Tijdens de rite krijgt het meisje onderricht van haar grootmoeder, haar tante en een traditionele vroedvrouw. Zo leert ze allerlei normen en waarden, over voedseltaboes, sociale omgang, seksuele voorlichting, het huwelijk, relaties met de schoonfamilie, en over andere dingen die een vrouw hoort te weten. Tijdens de rite wordt het meisje afgezonderd van haar sociale omgeving. Deze afzondering maakt haar sterk, zodat zij moeilijkheden in haar latere leven beter kan doorstaan. Aan het eind van de rite toont het meisje de dansen die ze geleerd heeft, en laat daarmee zien dat ze een echte vrouw is geworden.

Initiatieriten worden vooral voor meisjes uitgevoerd, omdat zij later als vrouw de spil van het huishouden zijn, en de verbinding vormen tussen hun kinderen en hun voorouders. Daarom wordt er bij hen extra nadruk gelegd op het leren van allerlei normen en waarden. In grote delen van Zambia geldt dit minder voor jongens, omdat zij, volgens veel vrouwen, minder sociale verantwoordelijkheden hebben.

■ *1997. Mother and child. Katete.*
Moeder en kind.

40

■ *1997. People on the road. Lusaka.*
Mensen onderweg.

The economy: 1964-2004
De economie van 1964-2004

Bas de Gaay Fortman

Six years after independence, the March 1970 edition of *Z Magazine*, a beautifully illustrated magazine published by Zambia Information Services, reported on the country's impressive infrastructural achievements such as a new bridge over the Lufupa in Kasempa. This would definitely boost 'economic development traffic' between the country's capital and Northwestern Province, the article en thused. There was more on the economy: gravel extraction in Mongu, for example, and home-woven textiles and glass-fibre boats in Kafue.

In terms of format, the magazine compared well to *Time* or *Newsweek* as published at that time. Its price: 10n. The 'n' stands for *ngwee*, the Zambian *kwacha* cent. Shortly after independence, when the new decimal currency, the kwacha (ZK), was introduced, it was worth 10 British shillings (£0.50). Today, it takes ZK8,000 to buy £1.00, so relative to the pound the kwacha is now worth just 1/4,000 of its value in those plentiful years after independence. Against the euro, or the former Dutch guilder, the kwacha has lost even more ground.

Also in 1970, Zambia Information Services celebrated Independence Day with a freely distributed publication entitled *Zambia six years after*. Among the many achievements highlighted was Mulungushi Hall with its VIP village of 62 houses, constructed to host the non-aligned summit attended by such leaders as Marshall Tito and Indira Gandhi. The 'magnificent' conference site is depicted as 'the symbol of Zambian determination'. The copper-adorned hall might also have been read as a symbol of Zambia's reckless dependence on its primary commodity. 'Fortunately, however', the booklet notes, 'the copper industry has boomed – and kept on booming – at a time when Zambia needed it most.'

Everyone knew, of course, that the copper price is purely the result of external factors. We were also aware of the development of synthetic alternatives to copper, such as glass fibre (in weaponry and electrical appliances, for instance). But in post-independence Zambia there was no inkling that the 'seven fat years' might be followed by many more

◼ *1973. Copper converter during the tapping of slag in Luanshya smelter.*
Koperconvertor tijdens de tap van koperslak in de Luanshya smelterij. (1)

◼ *1973. Pouring wheel for turning liquid copper into flat anodes. Luanshya smelter.*
Gietwiel om van vloeibaar koper plaatvormige anodes te maken. (2)

◼ *1973. The pouring out of copper slag, outside.*
Het uitgieten van koperslak, buiten. (3)

◼ *1973. Sulphuric acid plant, Luanshya smelter.*
Zwavelzuurfabriek, smelterij te Luanshya. (4)

Voor mij ligt het nummer van maart 1970 van *Z magazine*, een fraai geïllustreerde publicatie van de *Zambia Information Services*, ZIS. Een grote rapportage wordt gewijd aan de nieuwe brug over de Lufupa in Kasempa. Die zal 'ons economisch ontwikkelingsverkeer' tussen Lusaka en de *Northwestern Province* ongetwijfeld enorm stimuleren. Ook verder staat het nummer vol met stralend economisch nieuws: gravelwinning in Mongu bijvoorbeeld en zelfgeweven textiel en polyester boten in Kafue. De uitgave zelf kan een vergelijking met bladen als *Time* of *Newsweek* uit die tijd letterlijk met glans doorstaan. En de prijs? Die bedroeg 10n. De 'n' staat voor *ngwee*, de *kwacha*-cent, die indertijd ƒ 0,05 waard was. Vandaag, als de gulden nog bestond, zou je ZK 2.500 moeten neertellen om een gulden te kopen. Ten opzichte van de gulden is de kwacha in zo'n 40 jaar dus gedaald naar 1/12500 van de toenmalige waarde. Medio 2003 was de koers ZK 5.500 tegen de euro.

In datzelfde jaar 1970 vierden de ZIS de onafhankelijkheidsdag met een gratis publicatie getiteld *Zambia six years after*. Onder de vele wapenfeiten wordt ook de pas gebouwde Mulungushi Hall vermeld met zijn VIP-dorp van 62 huizen. Daarin was een maand eerder de top van de organisatie van niet-gebonden landen gehuisvest, met leiders zoals Maarschalk Tito en Indira Gandhi. Het 'magnifieke' conferentieoord wordt geroemd als 'hèt symbool van Zambiaanse besluitvaardigheid'. In feite had dat met veel koper opgesierde complex ook gezien kunnen worden als symbool van Zambia's onbekommerde afhankelijkheid van die grondstof. 'Gelukkig maar', stelt het boekje, 'de koperindustrie floreerde – en bleef floreren – in een tijd waarin Zambia daaraan de grootste behoefte had'.

Dat de koperprijs een resultante is van externe krachten, was natuurlijk ook toen bekend. We wisten ook dat de ontwikkeling van synthetische alternatieven, in wapens bijvoorbeeld en als geleidingsmateriaal, al vergevorderd was. Toch was er in die eerste periode na Zambia's onafhankelijkheid nauwelijks enig voorgevoel dat na zeven vette jaren er wel eens een lange periode van economische malaise zou kunnen aanbreken. In de pers van die dagen werd Kaunda's besluit de Zambiaanse staat een meerderheidsaandeel te verschaffen in die enorm rijke koper mijnbouw getypeerd als 'wellicht de grootste stap vooruit die de Zambiaanse economie ooit zal nemen'.

Wij weten nu dat nationalisatie van die inmiddels kwijnende bedrijfstak is uitgelopen op ingewikkelde pogingen tot herprivatisering. Het verafgelegen Afrikaanse land haalt vandaag de Nederlandse pers met koppen als 'Levensverwachting Zambia naar 33 jaar'. Dit is een dramatische daling, want in de periode van economische voorspoed was de levensverwachting gestegen van 40 jaar in 1960 naar 54 jaar in

43

■ 1974. The Zambezi beats all other rivers. Its beauty is superb: the views in daytime, the sunsets in the evening; the mukolo's peacefully gliding over the water... When viewing this picture, one re-experiences the calm that takes possession of you on the banks of the Zambezi.
Er gaat geen enkele rivier boven de Zambezi. Alles is mooi; de uitzichten overdag en de zonsondergangen 's avonds; de mukolo's die vredig over het water glijden ...
Bij deze foto herbeleeft men de rust die aan de Zambezi over je komt. (1)

■ 2003. On the market of Katete.
Op de markt van Katete. (2)

■ 1969. The main road Solwezi - Kasempa after the rainy season.
De hoofdweg Solwezi - Kasempa aan het eind van de regentijd. (3)

■ 1972. Mpungu bridge: on tour through Kasempa District one meets obstacles such as these!
Mpungu brug: op pad door Kasempa district is niet altijd even makkelijk! (4)

■ 2002. Construction of a dam for irrigation and fish ponds, Kasempa District.
Aanleg van een dam voor irrigatie en visvijvers in Kasempa district. (5)

■ 1995. Chisenge, small fish, destined for the Copperbelt, is being loaded on the bus. Kashikishi.
Chisenge, kleine visjes, bestemd voor de Copperbelt, wordt op de bus geladen. (6)

■ 2003. Shop assistants at the market of Katete.
Winkelmeisjes op de markt in Katete. (7)

■ 1998. These female potters produce 100 mugs a day on one-speed electric wheels. Zambia Ceramics, Kitwe.
Deze pottenbaksters maken elk 100 bekers per dag op elektrische draaischijven met één constante snelheid. (8)

■ 1974. Near Lui Namabunga. Senanga District.
Nabij Lui Namabunga. (9)

■ 2003. On the road to South Luangwa National Park.
Op de weg naar het South Luangwa National Park. (10)

■ *1994. Luapula river: fishermen and traps.*
De Luapula rivier: vissers en fuiken.

than seven lean ones. In the Zambian press, President Kaunda's decision to grant the Zambian state a controlling share of the 'enormously rich copper mining industry' was described as 'probably the greatest single step forward the Zambian economy will ever take'.

We now know that the nationalisation of that depressed industry was to end in complicated attempts at re-privatisation. These days the country tends to appear in Dutch newspapers under headlines such as 'Zambia's average life expectancy falls to 33 years'. A dramatic development. For owing mainly to the prosperous 1960s and early 1970s, life expectancy had earlier gone up impressively from 40 in 1960 to 54 in 1990. AIDS, the article tells us, now causes 200 deaths per day. Infant mortality has also been on the rise for many years, and the same applies to other negative indicators of human development such as the illiteracy rate.

At the request of the International Monetary Fund, the World Bank and other international donors, the Zambian government published a *Poverty Reduction Strategy Paper* in 2002. This paper is a major tool for the implementation of 'pro-poor growth', and declares as its aim to reduce the percentage of the population living in severe 'income poverty' from 73 per cent in 1998 to 65 per cent in 2004. Currently, however, the figure actually stands at above 80 per cent. In the 1970s, it took intensive lobbying for Zambia to acquire the status of major recipient of Dutch development assistance, as it was supposed to be 'too rich'. Yet now the country ranks 89 out of 94 on the *United Nations Development Programme*'s Human Poverty Index (*Human Development Report 2003*, UNDP).

Causes of the downward trend

What went wrong? Well, certain external factors are evident. Firstly, the whole of Sub-Saharan Africa was afflicted by periods of severe drought during the 1980s and 1990s. Zambia was hit by no less than eight such years. Secondly, another obvious external factor had even more impact: the collapse of the copper price. Strikingly, in the fat years after independence copper accounted for almost half the country's gross domestic product while providing more than two-thirds of government revenues and almost the whole of Zambia's income from exports. In 1972 came the first plunge in the copper price – still referred to by Kaunda as a 'blessing in disguise'. What he means may best be illustrated by a comparison with Malawi, which might be termed a 'Nopec' country in the sense that it lacks oil or any other primary commodity such as copper. Visiting rural villages in Malawi even during the good years, one was always struck by a rural dynamics that compared most favourably with Zambia's outlying areas. Evidently, the

1990. Aids, zo meldt het bericht, vergt dagelijks 200 doden. De kindersterfte stijgt ook al jaren en datzelfde geldt voor andere negatieve indicatoren van ontwikkeling zoals het analfabetisme.

Op verzoek van de internationale financiële instellingen en andere donors publiceerde de regering in 2002 het *Poverty Reduction Strategy Paper* (PRSP), een instrument voor het nieuwe beleid van groei ten behoeve van de armen ('*Pro-poor growth*'). Dit PRSP mikt op het terugbrengen van het percentage van de bevolking dat leeft in inkomensarmoede van 73 procent in 1998 naar 65 procent in 2004. Maar nu al ligt het percentage boven de 80. In de jaren zeventig moest intensief worden gelobbyd om Zambia de status van concentratieland voor de Nederlandse ontwikkelingshulp te geven. Het land zou daarvoor toen volgens sommigen 'te rijk' zijn. Intussen is Zambia gezakt naar plaats 89 van de in totaal 94 arme landen op de Human Poverty Index van het *United Nations Development Programme* (*Human Development Report 2003*, UNDP). Daarmee behoort Zambia tot de allerarmste landen.

Oorzaken van de achteruitgang

Wat is er mis gegaan? Wel, bepaalde externe factoren zijn evident. Allereerst was er de droogte. In bijna heel Sub-Sahara Afrika heerste in de jaren tachtig en negentig extreme droogte; Zambia kende niet minder dan acht van zulke jaren. In de tweede plaats, en belangrijker, was het inzakken van de koperprijs. In de jaren van overvloed na de onafhankelijkheid zorgde het koper voor bijna de helft van het nationaal inkomen, meer dan tweederde van de overheidsinkomsten en zo'n 97 procent van alle exportopbrengsten. In 1972 kwam de eerste grote terugval; President Kaunda noemde dat toen nog 'een verhulde zegening'. Wat hij daarmee bedoelde kan misschien worden verduidelijkt door een simpele vergelijking met Malawi, een 'Nopec' land in de zin van een gebied zonder olie of enige andere grondstof van betekenis. Wie in die goede jaren de dorpen aldaar bezocht, werd getroffen door de agrarische dynamiek waaraan het Zambia's verafgelegen platteland zo duidelijk ontbrak. De 'Kopergordel' met zijn mijnen had zijn tol geëist, zoveel was wel duidelijk. Vooral uit de noordelijke provincies waren de mannen al sinds het eind van de 19e eeuw naar de mijnen gehaald, met alle gevolgen van dien voor de dorpseconomieën.

Dit nu brengt ons op een derde cruciale factor: de structurele effecten van het kolonialisme als niet alleen een politiek maar ook een economisch systeem. De in 1964 overgeërfde structuren waren in geen enkel opzicht inheems. Zo valt te verklaren waarom het land niets had om op terug te vallen toen de extern aangestuurde voorspoed omsloeg in extern veroorzaakte ellende.

47

Copperbelt had taken its toll. Especially in the northern regions, the men had been 'induced' to move to the so-called 'line of rail', with considerable consequences for their village economies.

This, then, brings us to a third factor: the continuing impact of colonialism as not only a political but also an economic system. Colonial rule imposed structures that were in no way indigenous. Thus, when externally driven wealth was turned into externally driven misery, the country had nothing to fall back on.

Colonialism also led to a 'second false start', a false start in economic terms, and one that has had considerably more impact than the 'first false start'. The term false start was coined by René Dumont, whose *L'Afrique noire est mal partie* (1966) was translated as *False Start in Africa*. Dumont referred with this 'first' false start to the substitution of the colonial rulers by a local elite, a new political class that was almost as unconnected to the rural peasants and the urban poor as their predecessors. We may see the second false start as a third factor explaining Zambia's current predicament. This is illustrated by what happened to the terms of trade governing rural-urban barter. At the time of independence, a bag of maize sold by a rural producer in, say, Katete could buy two pieces of *chitenge* cloth or one pair of trousers. Ten years later, the same amount of 'urban' produce required two bags. One does not have to be a trained economist to understand that such trends exert a negative influence on food production. Indeed, despite a population density significantly lower than that of neighbouring Malawi, Zambia has never achieved agricultural self-reliance. More recently, per capita food production in Zambia fell by one fifth in just over ten years, while in Malawi it grew by a third. As a consequence, food prices in Zambia soared and poor households were hit hardest. See table at the end of this chapter.

In the quest for explanations there is a fourth major factor that deserves attention: development assistance. For the whole of Sub-Saharan Africa, no macro-level correlation whatsoever has been found between the amount of development aid received and the level of income poverty, while at the micro level many instances of serious negative impacts were reported. Thus, food aid has often impaired the markets for local crops. To a significant extent, aid patterns have generated 'kleptocracy', the political-economic system to which 'Zambian humanism' now seems to have descended.

As to the causes of persisting poverty, the *Poverty Reduction Strategy Paper* mentions, among other things: high inequality, external dependence, unsatisfactory planning and prioritisation, poor management and governance. The latter is a major factor too, the fifth one, and one that

Het kolonialisme betekende in economisch opzicht een 'tweede valse start'. Die term is afkomstig van de Franse agronoom René Dumont wiens *L'Afrique noire est mal partie* in het Engels werd vertaald als *False Start in Africa*. Dumont doelde met deze 'eerste' valse start op de vervanging van de koloniale heersers door een lokale elite, een nieuwe politieke klasse, die in gebrek aan aandacht voor de armen op het platteland en in de krottenwijken van de steden niet wezenlijk verschilde van zijn koloniale voorgangers. De tweede valse start kunnen we zien als derde factor in de verklaring van Zambia's huidige crisis. Typerend is de ontwikkeling van de ruilvoet tussen platteland en stad. Ten tijde van de onafhankelijkheid kon een boer in bijvoorbeeld Katete nog twee *chitenge* doeken of één broek krijgen voor de opbrengst van een zak maïs. Tien jaar later had hij daarvoor al twee zakken nodig. Je hoeft geen econoom te zijn om te snappen dat daarmee de voedselproductie niet bepaald werd bevorderd. Ondanks een veel geringere bevolkingsdichtheid dan in het naburige Malawi is Zambia nooit zelfvoorzienend geworden, integendeel. De tabel aan het eind van dit hoofdstuk toont enkele in het oog lopende verschillen tussen beide landen.

In onze zoektocht naar verklaringen voor Zambia's kolossale economische achteruitgang is er nog een vierde hoofdfactor die aandacht verdient: de ontwikkelingshulp. Macro-economisch blijkt er in heel Sub-Sahara Afrika geen enkel verband te bestaan tussen de omvang van de ontwikkelingshulp die een land ontvangt en het aantal mensen dat leeft in inkomensarmoede. Op micro-niveau zijn er zelfs vele analyses die duiden op ingrijpende negatieve effecten. Zo heeft voedselhulp niet zelden de markt voor lokale gewassen ondermijnd. 'Kleptocratie', het politiek-economische systeem waarop het 'Zambiaans humanisme' is uitgelopen, is in niet geringe mate mede door de hulpverleningspatronen in de hand gewerkt.

Bij de oorzaken van de alsmaar verergerende armoede noemt het al genoemde PRSP onder andere: grote ongelijkheid, externe afhankelijkheid, falende planning en prioritering, slecht management en slecht bestuur. Dat laatste is ongetwijfeld een vijfde factor van betekenis en één die wij veertig jaar geleden niet zagen. De institutionele capaciteiten van de staat stonden buiten kijf en in de context van de 'internationale economische wanorde' leek door de staat gestuurde ontwikkeling het enig mogelijke antwoord. In het streven naar een redelijk functionerend bestuur ligt nu precies het terrein waarop zich de grootste uitdagingen aandienen: het scheppen van een mondiaal vermogen tot correctie op de vrije markteconomie in de eerste plaats – die oneerlijke structuren van de wereldhandel beïnvloeden de lokale economie niet minder dan veertig jaar geleden – maar ook het ondersteunen van lokale pogingen tot verbetering van het bestuur op alle niveaus.

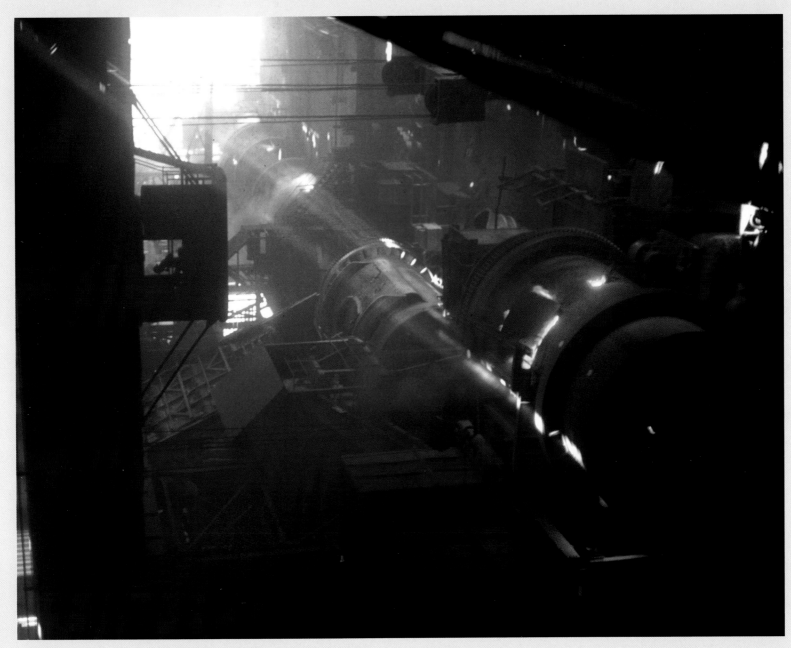

■ *1973. In the convertor hall of Luanshya smelter.*
In de converteerhal van de smelterij te Luanshya.

was not seen forty years ago. The state's institutional capacity was not in doubt in the period after independence, and in the context of an 'international economic disorder' state-led development was seen as the only way. It is precisely in respect of governance that some major challenges present themselves today: in the realm of global governance in the first place – the structures of unfair trade have no less impact now than they did forty years ago – but also in terms of supporting efforts towards improved governance at all levels inside Zambia itself.

50

Food production and food prices in Zambia and Malawi /
Voedselproductie en voedselprijzen in Zambia en Malawi

	Zambia	Malawi
Index of food production per capita, 1989-1991, Index van de voedselproductie per hoofd	100	100
Index of food production per capita, 2001, Index van de voedselproductie per hoofd, 2001	81	135
Food price index 1995, Prijsindex voor voedsel, 1995	100	100
Food price index 2001, Prijsindex voor voedsel, 2001	218	n.a./n.b.

Source: based on estimates in *African Development Indicators 2003*, World Bank.
Bron: Samengesteld uit gegevens in het rapport *African Development Indicators 2003*, Wereldbank.

■ *1997. Railways in Zambia are also used as footpaths. Lusaka.*
Treinrails worden in Zambia ook gebruikt als voetpad.

52

1997. This rural clinic is visited by medical staff
twice a month. Chipata District.
*Deze plattelandskliniek wordt tweemaal per maand
door medisch personeel bezocht.*

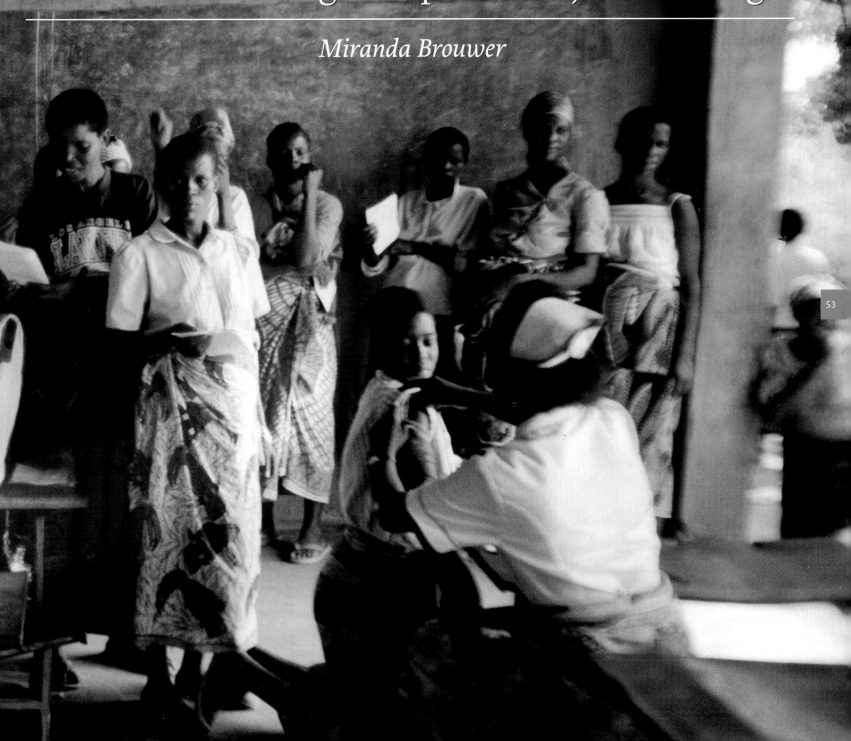

Health care: a personal experience
Gezondheidszorg: een persoonlijke ervaring

Miranda Brouwer

53

It was in October 1991 that I first set foot on Zambian soil. As a medical student from the University of Groningen in the Netherlands, I would spend the next three months on an 'elective' period. I had chosen the obstetrics department of the University Teaching Hospital (UTH) in Lusaka, and little did I know what to expect.

Every day I spent at UTH, I learned something new. Babies were delivered faster than I could find gloves, and all kinds of materials were constantly out of stock. With four beds in the delivery room there was no privacy for mothers-to-be, and fathers were simply not included in the birth process.

All these experiences fascinated me, and I decided to become a tropical doctor after my graduation.

In July 1994 I returned to Zambia and started work at Our Lady's Hospital Chilonga, a Catholic mission hospital in Mpika District, Northern Province. Since my visit in 1991 I had graduated and completed a training programme in preparation for work as a general medical officer in a rural setting.

■ 1973. These students have just donated blood, an action covered by the newspaper. Kalabo Secondary School.
Deze leerlingen hebben zojuist bloed gedoneerd, en haalden daarmee de krant. (1)

■ 1972. One of many rural under-five clinics set up by Dutch volunteers.
Een van de vele plattelandsklinieken voor moeder- en kindzorg opgezet door Nederlandse vrijwilligers. (2)

■ 1991. Waiting patiently for the gate to open at St. Theresa's Hospital, Ibenga.
Patiënten wachten geduldig tot het hek van St. Theresa's Ziekenhuis in Ibenga open gaat. (3)

■ 1990. A rural district hospital differs greatly from a large city hospital. Mpika District Hospital.
Een districtsziekenhuis op het platteland verschilt sterk van een ziekenhuis in de grote stad. (4)

■ 1991. Two doctors in front of Kitwe Central Hospital: one on duty, the other off duty.
Twee artsen voor Kitwe Ziekenhuis: één van hen is aan het werk, de ander even niet. (5)

■ 1980. Having been washed up, non-disposable trays are put in the sun to dry. Disposable gloves too, so they can be re-used. Katete Hospital.
Metalen opvangbekkentjes worden gereinigd en in de zon te drogen gelegd. Handschoenen voor eenmalig gebruik ook, zodat ze opnieuw dienst kunnen doen. (6)

■ 1997. Sister Chanda balancing sterile tools. Chilonga Hospital.
Zuster Chanda in een balanceer-act met steriele materialen. (7)

■ 1980. A patient with an upper-leg fracture is treated with a 'home-made' traction rack.
Een patiënt met een bovenbeenbreuk wordt behandeld met een geïmproviseerde tractie-installatie. (8)

■ 1980. As the cuts show, this patient has been treated by a traditional healer. Katete District.
De kleine sneetjes tonen dat deze patiënt door een traditionele genezer is behandeld. (9)

In oktober 1990 zette ik voor het eerst voet op Zambiaanse bodem. Als student geneeskunde aan de Rijksuniversiteit Groningen ging ik een keuzestage lopen op de afdeling verloskunde van het University Teaching Hospital (UTH) in de hoofdstad Lusaka.

Tijdens mijn verblijf in het UTH maakte ik dagelijks boeiende dingen mee. Zo werden baby's sneller geboren dan dat ik handschoenen kon vinden en was allerlei materiaal constant op. Omdat er vier bedden op de verloskamer in het UTH stonden, was de aanstaande moeder nooit alleen en voor vaders was al helemaal geen plaats op de afdeling.

Al deze ervaringen fascineerden me en ik besloot na mijn afstuderen tropenarts te worden.

In juli 1994 keerde ik terug naar Zambia. Na afronding van mijn studie had ik de opleiding tot tropenarts gevolgd en kon ik gaan werken in Our Lady's Hospital Chilonga, een rooms-katholiek missieziekenhuis in Mpika district. Chilonga ziekenhuis had 230 bedden en lag ongeveer 30 kilometer ten zuiden van de districtshoofdstad Mpika, waar het districtsziekenhuis en de gezondheidszorgdienst van het district gevestigd waren. De twee ziekenhuizen zorgden samen met elf posten voor de gezondheidszorg in dit district van zo'n 50.000 km² en naar schatting 160.000 inwoners.

Een dag in het ziekenhuis was zelden saai en regelmatig stond ik voor uitdagingen. Op de kinderafdeling waren altijd ondervoede patiëntjes opgenomen. Een peuter van twee jaar die maar zes kilogram woog, was niet ongebruikelijk. Er woonden veel keuterboertjes in het district en in de periode voor de nieuwe oogst was voedsel vaak schaars. Er waren in een gezin vaak zoveel monden te voeden dat als er een baby geboren werd, het laatstgeboren kind van de borst af moest en er vaak onvoldoende voedsel voor dit kind over was. De behandeling van ondervoede kinderen was moeilijk, en ik stond vaak met lege handen. Ik kon weliswaar het kind extra voeding en vitamines geven, maar ik kon jammer genoeg niet het gezinsinkomen verbeteren.

Ondervoeding was een veel voorkomend probleem: in de jaren negentig van de vorige eeuw waren 24 procent van de kinderen onder de vijf jaar matig tot ernstig ondervoed (*African Development Indicators 2003*, World Bank).
Regelmatig werden kinderen opgenomen in een vergevorderd stadium van ziekte en behandeling was dan niet altijd meer mogelijk. In 2001 stierven er per 1.000 kinderen jonger dan vijf jaar 202 (*Human Development Report 2003*, UNDP). Vergelijk dit met het cijfer in Nederland: 5 per

55

■ *1999. Lukulu District Hospital on the banks of the Zambezi river uses a boat to transport patients to the hospital.*
Het districtsziekenhuis te Lukulu aan de Zambezi gebruikt een boot om patiënten te vervoeren.

Chilonga, a 230-bed hospital, was about 30 kilometres south of Mpika, the district capital where the district hospital and the district health services were situated. Together with eleven health centres, the two hospitals served an area of about 50,000 square kilometres and an estimated 160,000 inhabitants.

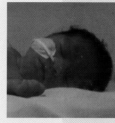

A day's work in the hospital was never boring and brought many challenges. In the children's ward we always had youngsters who were severely malnourished, and it was not uncommon to see two-year old toddlers weighing as little as six kilograms. Many people in the district were subsistence farmers, and food was scarce in the period before the new harvest. Often a household had many mouths to feed, so when a new baby was born there was not much food left over for the next one up. Treating malnourished children was difficult, and left me feeling inadequate. I could give the child additional food and vitamins, but I could not increase the family's income.

Malnutrition was a common problem in Zambia. During the last decade of the 20th century, about 24 per cent of the country's under-fives were moderately to severely underweight (*African Development Indicators 2003*, World Bank).

At Chilonga, children were regularly admitted in an advanced stage of a disease, and treatment could not always save them. Zambia's under-five mortality rate stood at 202 per 1,000 in 2001 (*Human Development Report 2003*, UNDP). Compare this with the rate of just 5 per 1000 in the Netherlands, and you get some idea of the scale of suffering amongst these children's families.

HIV/AIDS was a condition commonly seen in the adult wards. This disease has impacted on everyone in Zambian society. The UNAIDS Fact sheet for 2002 estimates that there were 1.2 million Zambians living with HIV/AIDS at the end of 2001. During that year an estimated 120,000 Zambians died of the disease, compared with just 110 people in the Netherlands.

Some of our own staff at Chilonga had HIV/AIDS, and we lost several of them to the disease, as well as students of our nursing school. An active anti-aids unit at the hospital engaged in voluntary counselling and testing of those suspected of having the infection. They also brought care to people at home through home-based care activities, but the size of the district and of the problem itself made it impossible to reach all those in need. As a doctor, I could treat the opportunistic infections, I could try to relieve the symptoms and I could try to ease the dying. But the disease I could not cure, leaving me again with the same feeling of inadequacy.

1.000 en je kunt je het leed van de families wel voorstellen. HIV/ aids was één van de ziektes die we regelmatig bij volwassenen zagen. Deze ziekte treft iedereen in de Zambiaanse maatschappij. De organisatie UNAIDS schatte dat er in 2001 1,2 miljoen Zambianen met HIV/aids besmet waren en er 120.000 aan stierven. In datzelfde jaar waren voor Nederland de cijfers 17.000 en 110 respectievelijk. De Zambiaanse cijfers laten de enorme omvang van het probleem zien.

In Chilonga waren een aantal medewerkers met het HIV-virus besmet. We verloren hieraan regelmatig stafleden of studenten van de verpleegkundige opleiding. Een actief anti-aids team gaf voorlichting over vrijwillig testen aan diegenen die bang waren met de ziekte besmet te zijn. Ze bezochten ook mensen thuis, maar de omvang van het district maakte het erg moeilijk iedereen te bereiken. Als arts was ik in staat de opportunistische infecties te behandelen en kon ik proberen het sterven te vergemakkelijken. Maar de ziekte zelf kon ik niet behandelen, en ook hier stond ik weer met lege handen.

Natuurlijk had niet elke patiënt een tropische ziekte of een aan armoede gerelateerde aandoening. We zagen ook mensen met hoge bloeddruk, diabetes, maagproblemen en een hartaanval. Er waren patiënten met botbreuken, een longontsteking of een beet van een krokodil. Veel aandoeningen had ik nooit eerder gezien, maar met behulp van de lokale staf, een paar goede boeken en een dosis gezond verstand, kon ik veel behandelen. Het was niet altijd eenvoudig. Ik herinner me de vele keren dat ik in de operatiekamer stond, het zweet van mijn rug gutsend, en ik bezig was met een beklemde liesbreuk of een moeilijke keizersnee. En ik zweette echt niet alleen door de warmte!

Eén van de dingen die het werk in Chilonga zo leuk maakte, was dat we regelmatig buiten het ziekenhuis actief waren. Moeder- en kindzorg was een belangrijk onderdeel van de districtsgezondheidszorg activiteiten. Maandelijks werden plattelandsposten bezocht om kinderen te wegen en te vaccineren en zwangere vrouwen te onderzoeken. Vrouwen met een zwangerschapsprobleem of bij wie een gecompliceerde bevalling werd verwacht, werden doorverwezen naar het ziekenhuis. Degenen die dit advies konden opvolgen, moesten soms een aantal weken in het ziekenhuis doorbrengen tot aan de bevalling.

De artsen brachten supervisie bezoeken aan de gezondheidsposten. Dan zagen we samen met de staf van de post de patiënten, we bespraken problemen die ze tegen waren gekomen, en we gaven bijscholing op diverse gebieden. Ik deed deze supervisies altijd met plezier. Het gaf me inzicht in de wijze waarop de staf onder vaak moeilijke omstandigheden hun werk moest doen. Ik had hier grote bewondering voor.

Of course, not all our patients were suffering from tropical or poverty-related diseases. Hypertension, diabetes, stomach problems and heart attacks were among the other conditions I came across at Chilonga. There were patients with fractures, with pneumonia and with wounds due to crocodile bites. Many conditions I had never seen before, but with the help of the local staff, a few good books and a fair measure of common sense I was able to treat many of these, though this was not always easy. I remember many times in theatre when the sweat ran down my spine as I operated on an incarcerated inguinal hernia or a difficult caesarean section – and not just because of the heat!

One of the best features of working at a hospital like Chilonga was that the work involved activities outside the hospital itself. Mother and child health clinics were an important part of the district health services. Every month a vehicle would go out to several stations in the rural areas to vaccinate and weigh children and check pregnant women. Women with pregnancy problems or with an expected complicated delivery were advised to go into the hospital. Those able to follow this advice sometimes stayed several weeks in the hospital till it was their time to give birth.

One of my duties was to make supervisory visits to the rural health centres. During these visits I saw patients together with the health centre staff, discussed problems they encountered, and tried to educate the staff on various issues. I always enjoyed these visits, as they gave me greater insight into the difficult circumstances in which health centre staff had to operate – and admiration for the job they did.

The mid 1990s saw a number of health sector reforms. Falling world copper prices meant that the government had less money to spend: by 1992 health expenditure per capita had fallen to just 30 per cent of the figure in 1982. Needless to say, this led to a deterioration of standards in the health sector. There were shortages of essential supplies and a, sometimes literally, collapsing infrastructure, while demoralised staff who could do so sought greener pastures elsewhere.

The need for reforms was clear, and in 1992 the Ministry of Health (MoH) formulated a new strategy of decentralisation, aimed at ensuring 'equity of access to cost-effective quality health care as close to the family as possible' (S. Lake and C. Musumali *Zambia: the role of aid management in sustaining visionary reform*, in: *Health Policy Plan*, September 1999, volume 14, number 3, pp. 254-63). In the new system, policy-making would be done by the MoH while implementation would be the task of the newly formed Central Board of Health. In the districts and larger hospitals, autonomous boards would be created with the power to hire and fire staff. Staff would no longer be employed by the MoH. This process, known as 'delinkage', caused a lot of unrest among

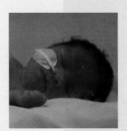

In de jaren negentig wijzigde Zambia de structuur van de gezondheidszorg. Door de dalende koperprijzen kwam er minder geld bij de overheid binnen en in 1992 was de uitgave aan gezondheidszorg per hoofd van de bevolking nog maar 30 procent van het bedrag in 1982. Het natuurlijke gevolg was dat de gezondheidszorg verslechterde. Personeel raakte gedemotiveerd en probeerde in het buitenland aan de slag te komen. Er was een tekort aan medicijnen en materialen en de gebouwen stonden soms letterlijk op instorten.

Verandering werd door iedereen noodzakelijk geacht en het doel van de verandering werd in 1992 als volgt door het Ministerie van Gezondheid geformuleerd: 'verzekeren van toegang tot kosteneffectieve kwalitatief hoogwaardige zorg voor iedereen zo dicht mogelijk bij de bevolking' (S. Lake en S. Musumalie in *Zambia the role of aid management in sustaining visionary reform* in *Health Policy Plan*, September 1999, volume 14, nummer 3, pp. 254-63). De strategie om dit te bereiken was decentralisatie. In het nieuwe systeem maakt het ministerie het beleid. De uitvoering van dit beleid gebeurt door een nieuw orgaan: de centrale raad voor de gezondheid. Voorheen werden beiden taken door het ministerie uitgevoerd. In de districten en grotere ziekenhuizen worden autonome raden van bestuur gevormd die zelfstandig een eigen personeelsbeleid kunnen voeren. Dit proces wordt '*delinkage*' genoemd. Het aannemen van personeel was in het vroegere systeem een taak van het ministerie. De 'delinkage' veroorzaakte veel onrust onder het personeel in Chilonga, en dat kwam het werk niet ten goede. Voor zover ik weet is dit proces nog steeds niet geëffectueerd.

Het was nodig medewerkers te trainen om volgens het nieuwe systeem te werken. Jaarlijks werd de staf van alle ziekenhuizen en gezondheidsposten naar de districtshoofdstad gehaald om plannen en begrotingen voor het jaar daarna te maken. Het tragische was dat na een aantal jaren veel mensen in staat waren prachtige plannen te maken, maar deze konden zelden uitgevoerd worden omdat de overheid het benodigde geld niet betaalde.

Als ik nu, in 2003, terugkijk naar de jaren die ik in Chilonga werkte, dan kan ik alleen maar concluderen dat ik de ervaring niet had willen missen. Ik heb zoveel geleerd, zowel op medisch gebied als daarbuiten. Al deze ervaringen helpen mij nog steeds in mijn huidige werk als tuberculosearts.

the seconded staff at Chilonga Hospital, and as far as I know it has still not been completed.

The creation of autonomous boards at district level called for capacity building, and much energy and money were spent on this. Every year, staff from the rural health centres were called to the district centre for seminars on action plans for the following year. The tragedy was that although everybody was, after a while, able to draw up wonderful action plans, these were very difficult to carry out, as government funding was irregular at best and sometimes even entirely absent.

Looking back on the years I spent as a medical officer in Zambia, I find it an invaluable experience. I learnt so many things, both medical and non-medical. In fact, this experience stills helps me in my present job as a tuberculosis control officer.

59

■ *1997. In the children's ward of St. Francis Hospital. Katete.*
Op de kinderafdeling van het St. Francis Hospital.

60

■ *1997. Secondary school students. Chipata District.*
Leerlingen van een middelbare school.

Education since 1964
Onderwijs sinds 1964

Tom Draisma

1968. The water system broke down and students had to wash their dishes in the river. Mkushi Secondary School.
De waterleiding was kapot en de leerlingen deden de afwas in de rivier.

Around 1950 the 'nationalists' saw education as the key to African advancement. A pre-independence party manifesto of the United National Independence Party (UNIP) contained a chapter on education that opened by proclaiming the party to be 'pledged to the pursuance of the policy of compulsory and free tuition for all children up to Form II and to provide facilities for mass literacy'.

Rond 1950 zagen veel 'nationalisten' in Noord-Rhodesië onderwijs als de sleutel tot de vooruitgang van de Afrikaanse bevolking. Het partijmanifest van de *United National Independence Party* (UNIP) uit 1963 bevatte dan ook een hoofdstukje met daarin het volgende citaat '... Wij beloven een beleid te voeren van verplicht en gratis onderwijs aan alle kinderen tot en met de tweede klas middelbaar onderwijs (*Form II*) ...'.

From 1950, and especially during the booming 1960s, the economic value of education was widely recognised. Education gave access to paid jobs, so it was hardly surprising that the diploma disease should spread to Zambia as to the rest of the world. Today, after decades of economic stagnation, the value of education is no longer so obvious, except to elite and middle-class groups. Many ordinary parents can no longer afford school fees and the additional costs of schooling. They might well ask what future there is for their children, and why there are no paid jobs for them.

Vanaf 1950 en vooral tijdens de '*booming*' jaren zestig werd de economische waarde van onderwijs alom erkend. Omdat onderwijs betaald werk garandeerde wekt het nauwelijks verbazing dat de wereldwijde diplomaziekte ook Zambia veroverde. Nu de economie en de arbeidsmarkt al jaren stagneren is het nut van onderwijs niet meer zo vanzelfsprekend, behalve voor de middenklasse en de elite. Veel ouders zijn te arm om schoolgeld en de bijkomende kosten te betalen. Terecht kunnen zij zich afvragen wat ze met hun kinderen aanmoeten en waarom er geen betaald werk voor hen is.

The massive expansion begins

It was the missionaries who brought 'Western' education to Northern Rhodesia. The colonial administration only seriously entered the education field after 1945, and even by 1960 only 48 per cent of school-age children actually attended school (for girls the figure was a mere 38 per cent).

After independence the education system was drastically reformed, with primary education tackled first. One huge problem was that most jobs requiring secondary education or above were held by white settlers or white expatriates from South Africa and the UK. To gain control over decision-making processes it was necessary to 'Zambianise' these positions, which meant that secondary and tertiary education were also given high priority. It was hoped that by expanding education, health care and the civil service, income would spread through the concomitant creation of jobs.

Segregation in education was abolished. High-quality schools for whites, and for children of Indian and mixed descent, had to open their doors to black Zambians. Church-run primary schools were nationalised. Teaching posts in the primary system were Zambianised within a few years. Ironically, English was introduced as the language of instruction right from Standard 1, the first year of primary school. Churches were asked to continue running their post-primary institutions, with the government paying the salaries. The government constructed hundreds of new primary schools, often helped by the local population. By 1976, 95 per cent of school-age children actually attended a primary school. Meanwhile, dozens of new secondary schools had been built across the

Het begin van een enorme expansie

Zendelingen en missionarissen introduceerden het 'Westerse' onderwijs in Noord-Rhodesië. Pas na de Tweede Wereldoorlog werd ook de koloniale overheid actiever. Toch zat in 1960 slechts 48 procent van de kinderen uit de bijbehorende leeftijdsgroep ook werkelijk op de lagere school. Voor meisjes was dit maar een schamele 38 procent. Na de onafhankelijkheid ging het onderwijsstelsel op de schop, waarbij het basisonderwijs als eerste werd aangepakt. Een apart probleem was dat de banen die middelbaar of hoger onderwijs vereisten, grotendeels in handen waren van de 70.000 blanke *settlers* en blanke buitenlanders, waaronder vooral Engelsen en Zuidafrikanen. Om autochtonen in leidinggevende functies te kunnen benoemen, werd aan het vervolgonderwijs dus eveneens hoge prioriteit gegeven. Tenslotte hoopte men door uitbreiding van het onderwijs, de gezondheidszorg en het ambtenarenapparaat en de daaruit voortvloeiende banen, ook de welvaart te spreiden.

Segregatie in het onderwijs werd afgeschaft. De kwaliteitsscholen voor blanken en voor leerlingen van Indiase en gemengde afkomst werden ook toegankelijk voor zwarte Zambianen. De lagere scholen van missie en zending werden genationaliseerd. De functie van onderwijzer werd binnen een paar jaar gezambianiseerd. Ironisch genoeg werd vanaf de basisschool voor het Engels als onderwijstaal gekozen.
De overheid bouwde honderden nieuwe basisscholen, vaak met hulp van de plaatselijke bevolking. In 1976 ging al 95 procent van de kinderen naar de basisschool. De kerken behielden, met overheidssubsidie, wel de zorg voor hun middelbare scholen en onderwijzersopleidingen.
Intussen werden, verspreid over het hele land, tientallen nieuwe middelbare scholen gebouwd. Ook het beroepsonderwijs werd aangepakt.

country. Vocational training was also restructured. While there was an excellent system of apprenticeship training for whites on the Copperbelt, black Zambians could hitherto only receive training in simple manual tasks. Now, a balanced system of trades and vocational training schools was introduced, offering courses at three levels: 'craftsman', 'technician', and 'professional'. Africans would no longer only qualify as 'hewers of wood and drawers of water'. Throughout the education system, enrolment of girls was promoted, to redress their disadvantaged position. However, programmes for illiterate adults – the majority of whom were women – did not live up to expectations.

In plaats van de gebrekkige schooltjes voor beroepsonderwijs aan zwarten, die naast een tiptop leerlingstelsel voor blanken bij de mijnen bestonden, kwam er al gauw een uitgebalanceerd stelsel van beroepsonderwijs op verschillende niveaus: dat van 'ambachtsman', van 'technicus', en van 'professional'. Dit systeem kan enigszins vergeleken worden met het Nederlandse lager-, middelbaar- en hoger beroepsonderwijs. Afrikanen zouden niet langer alleen als 'houthakkers en waterdragers' hoeven te werken. Meisjes kregen extra kansen, maar de alfabetisering van ongeletterde volwassenen, het merendeel vrouwen, bleef achter bij de plannen.

Teachers and teacher training: the basis of expansion

To staff the primary system, new teacher training colleges were built. The equally new University of Zambia (UNZA) together with the new Kwame Nkrumah Teachers College at Kabwe, were charged with the task of training teachers for the post-primary institutions. As it would take some years to deliver the first graduates to the secondary schools under construction, large numbers of expatriate teachers were recruited from all over the world. From 1965 to 1973 the number of expatriate teachers trebled, only gradually diminishing from 1974. In 1978, 14 years after independence, the expatriates still outnumbered their indigenous colleagues, but – at 52 per cent of the total – only just. The UNZA and the Copperbelt University, founded later, naturally remained dependent on foreign staff for even longer.

Disillusionment sets in

Some five years after independence, the teachers at the secondary school where I taught noticed that school leavers were beginning to find it harder and harder to secure jobs or find places in further education. The labour market simply could not cope with their large numbers. Except for a few, however, going back to the land was not an attractive option.

Vocational training schools were beginning to raise their entrance requirements. Up until 1969 you could enter one of these with a primary leaving certificate, but from 1970 junior secondary school (Form II) was required. In 1976 over 80 per cent of new entrants had a full secondary leaving diploma ('O-level'). This development relieved the school leaver problem only a little, as the capacity of vocational training schools was limited. Granted, these schools now delivered better-skilled people, but those with only primary education or Form II were pushed out of the labour market by these better-educated youths. Work experience programmes such as Rural Reconstruction Centres, a year of Zambia National Service after secondary school and production units attached to schools, also proved unable to solve the growing unemployment among school leavers.

Onderwijzers en leraren: de basis van de expansie

Om de basisscholen van onderwijzers te voorzien, werden meer kweekscholen opgericht, terwijl de nieuwe Universiteit van Zambia (UNZA) en het eveneens nieuwe Kwame Nkrumah College te Kabwe voor eerstegraads en tweedegraads leraren zouden zorgen. Om het tekort aan leraren voor de nieuw te bouwen middelbare scholen op te vangen, werden grote aantallen buitenlandse leerkrachten aangetrokken. Zo verdrievoudigde het aantal buitenlandse docenten tussen 1965 en 1973, om pas na 1973 terug te lopen. Maar zelfs nog in 1978, 14 jaar na de onafhankelijkheid, waren er nog net meer buitenlandse

■ 1966. The staff of Munali School in 1966. Lusaka.
Het docentencorps van Munali school in 1966. (1)

■ 1992. The staff now consists solely of Zambians and a number of other Africans. Compare with the photograph taken in 1966. Munali School, Lusaka.
Het docentencorps bestaat nu geheel uit Zambianen en enkele andere Afrikanen. Vergelijk met de foto uit 1966. (2)

■ 1969. Maths class on similar solids. Munali School, Lusaka.
Wiskundeles over gelijkvormige lichamen. (3)

■ 1972. As a teacher of agriculture I introduced practical lessons, sometimes against the wishes of the ministry. Instruction in working with the ox-drawn plough was given by local farmers. This proved a lasting success. Serenje Secondary School.
Als leraar landbouwkunde introduceerde ik praktische vaardigheden, toegespitst op de plaatselijke omstandigheden, soms tegen de wens van het ministerie in. Instructie in het werken met de ossenploeg werd gegeven door ervaren lokale boeren. Dit sloeg aan en heeft ook doorgewerkt. (4)

■ 1967. A-level students in the chemistry lab. Munali School, Lusaka.
Leerlingen ('A-level') in het scheikundelokaal. (5)

■ 1971. Buildings of the University of Zambia. Lusaka.
Gebouwen van de Universiteit van Zambia. (6)

■ 1966. Secondary schools promoted chess in the 1960s. Today Zambia's International Masters compete worldwide. Munali School, Lusaka.
In de jaren zestig verspreidden middelbare scholen de schaaksport. Tegenwoordig spelen Zambia's Internationale Meesters in internationale toernooien mee. (7)

Later, many university graduates also remained jobless, beginning with sociologists and psychologists. Most found jobs in other fields, for example in administration, or as a taxi driver. The very successful training of doctors by UNZA and the University Teaching Hospital ended in a somewhat absurd – but tragic – situation. In the period up to 1992, some 1,600 doctors had been trained, but over half of them were by then already working in Zimbabwe, Botswana, and South Africa, often replacing indigenous doctors who had emigrated to North America and the UK. Expatriate doctors, some from the Netherlands and often supported by donor funds, fill vacancies in rural Zambia to this day. This is just one example of how Zambia has been affected by the 'brain drain' from Africa.

Intermezzo: the national debate on educational reform

Some ten years after independence, educational policymakers and administrators, in consultation with UNIP, began to reflect on the relevance of education for Zambia's development. A thorough discussion paper, *Education for Development. Draft Statement on Educational Reform*, presented proposals to reform all aspects of the education system. The overall aim was 'to develop the potential of each citizen to the full, for the creation of a Humanist socialist society, and for selfless service to humanity'. The proposals emphasised hard work by teachers, students and pupils alike, who would also devote time to production units attached to their institutions.

In 1976 the draft proposals were put forward for discussion in a nationwide debate, in which all segments of society were expected to participate. Much opposition came from elite and middle-class groups, who feared that productive work would negatively influence academic results. Some church leaders criticised proposals to introduce 'scientific

◼ *1997. Primary school classroom with 65 pupils. Katete.*
Klaslokaal van een lagere school met 65 leerlingen.

◼ *1969. Books are a popular buy at the jumble sale. Munali School, Lusaka.*
Op de rommelmarkt zijn boeken zeer geliefd. (2)

◼ *1996. Mantumbusa Primary school. Mansa, Luapula Province.*
Mantumbusa basisschool. (3)

◼ *1993. Mural on a college wall, painted by art students. Evelyn Hone College, Lusaka.*
Muurschildering door studenten beeldende kunst. (4)

◼ *1998. Motto on a school wall.*
Motto op de muur van een school: 'Kom binnen om te leren, verlaat de school om te dienen'. (5)

◼ *1998. Private school in the Copperbelt.*
Privéschool in de Copperbelt. (6)

leraren dan Zambiaanse (52 procent). De UNZA, en ook de latere Copperbelt Universiteit, waren nog langer van buitenlandse staf afhankelijk.

De ontgoocheling

Eind jaren zestig merkten leraren bij het middelbaar onderwijs dat hun schoolverlaters minder gemakkelijk werk vonden of een vervolgopleiding konden volgen. De arbeidsmarkt kon hun grote aantal niet aan. Terug naar het dorp om op het land te helpen, was voor de meeste van hen geen aantrekkelijke optie. De lagere beroepsopleidingen legden nu snel de lat hoger: tot 1969 werd je nog met lager onderwijs toegelaten, in 1970 was al twee jaar middelbaar onderwijs vereist. In 1976 had al meer dan 80 procent van de nieuwe leerlingen een middelbaar school diploma ('O-level'). Deze ontwikkeling stelde weliswaar het schoolverlatersprobleem uit, en leverde beter geschoolde mensen af, maar was niet afdoende. De jeugd die niet meer dan lager onderwijs of *Form II* (nu '*grade 9*') had, werd nu op de arbeidsmarkt door beter opgeleiden jongeren verdrongen. Ook werkervaringsprogramma's, zoals kampen voor plattelandsontwikkeling, een jaar Zambia National Service na de middelbare school, en aan scholen verbonden productie-eenheden, konden de werkloosheid onder schoolverlaters niet afdoende bestrijden.

Later bleven ook universitair geschoolden werkloos, te beginnen met sociologen en psychologen. De meesten vonden werk op ander terrein: bijvoorbeeld als ambtenaar of taxichauffeur. De succesvolle opleiding van artsen aan UNZA en het University Teaching Hospital mondde uit in een nationaal drama. In de periode tot 1992 werden 1.600 artsen opgeleid. In 1992 werkte de helft van hen al in Botswana, Zimbabwe en Zuid-Afrika. Daar vervingen zij Afrikaanse artsen die naar onder meer Noord-Amerika en het Verenigd Koninkrijk geëmigreerd waren. Gesteund door donorgeld vervullen buitenlandse artsen, ook Nederlandse, nu nog steeds talloze vacatures in de plattelandsgebieden van Zambia. Ook Zambia heeft dus te maken met de '*brain drain*' binnen en vanuit Afrika.

Intermezzo: de onderwijsdebatten uit de jaren zeventig

Tien jaar na de onafhankelijkheid bezonnen de beleidsmakers en UNIP zich, op de relevantie van het onderwijs voor Zambia's ontwikkeling. In de discussienota '*Onderwijs voor ontwikkeling. Conceptvoorstel voor onderwijshervorming*' werden voor het onderwijs en het onderwijsbeleid vele vernieuwingen voorgesteld. De hervormingen zouden de persoonlijkheid en bekwaamheden van iedere Zambiaan tot ontplooiing brengen, op weg naar een 'humanistisch-socialistische maatschappij en ten behoeve van onbaatzuchtige diensten aan de mensheid'. De nota benadrukte hard werken voor docenten, studenten en leerlingen, die hun scholen ook als productie-eenheid moesten inrichten. De nota

socialism' as a school subject, fearing that religious education might be abolished. The rural population and their representatives were less vocal in the debate, and what they said hardly influenced the redrafting of the proposals. Many interesting ideas were scrapped, and much of what remained could not be implemented because of the economic downturn after the mid 1970s.

The current situation

The prolonged economic slump, combined with a growing population, has resulted in serious drops in school attendance. Thanks to the expansion of the primary system, literacy among adults continued to grow, from 63 per cent in 1985 to 79 per cent in 2001. In the latter year, however, only 66 per cent of the relevant age group attended primary school, as against the 95 per cent recorded in 1976. Attendance at secondary level sank to under 20 per cent. Participation by girls dropped even more dramatically throughout the education system. There is little money for essentials such as textbooks, blackboards, chalk, paper and pens. Teachers sometimes have to wait months for their pay, and many schools are in a state of disrepair for lack of maintenance funds.

Yet the situation is not without hope. School attendance is still higher than in most less-developed countries. Education receives a bigger slice of the government budget than defence. Many local initia-tives remain unreported, yet have positive effects on the education provided. Quite a number of schools, both private and government-run, do remarkably well in the examinations and maintain their buildings and furniture in good condition, thanks to the energy and enthusiasm of staff, learners, school councils and parents alike. Even proposals put forward by the reformers of the mid 1970s are now being introduced, for example initial education using the local mother tongue (already carried out in some regions), and the publication of lessons in newspapers – an idea taken up by *The Post*.

All in all, much praise is due to those who continue to strive so hard to improve educational opportunities in today's difficult circumstances.

werd in 1976 in een nationaal debat van enkele maanden aan het volk in al zijn geledingen voorgelegd. De voorstellen ontmoetten verzet bij delen van de elite en de numeriek kleine stedelijke middengroepen. Zij vreesden dat de waarde van de diploma's zou dalen door de nadruk op productie. Ook sommige kerkleiders stelden zich teweer. Zij vreesden dat godsdienstonderwijs zou moeten plaatsmaken voor het vak 'wetenschappelijk socialime'.
De 'stem des volks', met name van de plattelandsbevolking, werd minder gehoord en werd ook onvoldoende meegewogen in de evaluatie van het nationale debat. Zo verdwenen veel mooie ideeën, en wat overbleef kon vaak niet worden uitgevoerd wegens de ingezette economische neergang.

De huidige situatie

Door de jarenlange economische stagnatie en de bevolkingsgroei, daalde relatief gezien, de deelname aan het onderwijs. Dankzij de groei van het primair onderwijs steeg de alfabetiseringsgraad onder volwassenen nog wel van 63 procent in 1985 naar 79 procent in 2001. In het laatstgenoemde jaar ging echter nog maar 66 procent van de kinderen naar de lagere school, in tegenstelling tot de 95 procent in de jaren zeventig. Bij het middelbaar onderwijs is dit percentage tot onder de 20 procent gedaald. Voor meisjes is de procentuele teruggang over de hele linie nog sterker dan voor jongens. Het recht op basisonderwijs is dus ernstig uitgehold, en daardoor zal het analfabetisme onder volwassenen weer toenemen.
Er is weinig geld voor schoolboeken, schoolborden, krijtjes, schriften en pennen. Docenten moeten soms lang op hun salaris wachten. Bijbaantjes houden hen in leven. Veel scholen zijn in slechte staat van onderhoud.

Maar de situatie is niet alleen maar negatief. Nog steeds is de deelname aan het onderwijs in Zambia hoger dan in de meeste laagontwikkelde landen. Onderwijs ontvangt verhoudingsgewijs meer uit het tegenwoordig zeer karige overheidsbudget dan defensie. Allerlei plaatselijke initiatieven halen weliswaar de krant niet, maar betekenen wel veel voor de kwaliteit van het onderwijs. Er zijn een behoorlijk aantal particuliere en overheidsscholen, die mooie resultaten boeken, dankzij de energieke inzet van stafleden, schoolraden, ouders en leerlingen. Zelfs ideeën van de vroegere onderwijshervormers worden nu toegepast, zoals bijvoorbeeld het gebruik van de lokale moedertaal als onderwijstaal in het aanvankelijk onderwijs in sommige streken, en het publiceren van lessen in kranten, zoals The Post dat nu doet.
Iedereen die met enthousiasme werkt aan de verbetering van het onderwijs verdient alle lof van de wereld.

■ *1997. Primary school children. Lusaka.*
Lagere-schoolkinderen.

2003. Entry of Mwange Refugee Camp. Mporokoso District.
Entree van het vluchtelingenkamp Mwange.

WELCOME TO
MWANGE REFUGEE CAMP
VISITORS MUST REPORT
THE REFUGEE OFFICER.

70

Refugees
Vluchtelingen

Flip de Haan

72

■ *1978. After lessons: mealtime in a makeshift camp for 6,000 refugee boys from Zimbabwe.*
Firewood for the cooks and for keeping warm in the cold evenings is collected by the boys themselves.
Na de ochtendlessen: lunch in een geïmproviseerd kamp voor 6.000 vluchtelingenjongens uit Zimbabwe.
De jongens verzamelen zelf brandhout voor de koks en voor de koude avonden.

Zambia is bordered by eight countries in all. Four of these, like Zambia, secured their independence in the 1960s: Congo-Kinshasa, later known as Zaïre and now as the Democratic Republic of Congo (DRC) in 1960, Tanzania in 1962, Malawi in 1964, and Botswana in 1966.

For Zambia's other neighbours, liberation from colonial rule involved years of armed struggle: Angola and Mozambique both became independent in 1975 but were wracked by civil war for years after; Rhodesia (the former Southern Rhodesia) achieved independence in 1980, when it was renamed Zimbabwe; Namibia won its freedom in 1990.

South Africa is not a direct neighbour of Zambia, but the Kaunda government actively supported the struggle against the Apartheid regime, which was fought by the African National Congress (ANC) and the Pan-Africanist Congress (PAC). Because of this support, Zambia and Tanzania, and a little later also Botswana, were termed the 'frontline states'. Zambia became an important base for the ANC, as well as for liberation movements such as the Popular Movement for the Liberation of Angola (MPLA), the Front for the Liberation of Mozambique (Frelimo), the Zimbabwe African National Union (ZANU), the Zimbabwe African People's Union (ZAPU), and the South West African People's Organization (SWAPO) in Namibia. As well as members of the 'big six', during the 1970s and 1980s one could also come across representatives of six other nationalist or liberation movements from neighbouring countries and South Africa, of which the National Union for the Total Independence of Angola (UNITA) was the best known.

Refugees

The political leaders and freedom fighters of these movements – always called 'communists' and 'terrorists' by the regimes of Portugal, Rhodesia and South Africa – were followed into Zambia by refugees: women, children and youths. Tens of thousands of refugees from Congo, Angola, Namibia and other countries lived in Zambia for a longer or shorter period.

With the help of foreign aid, a refugee settlement was established at Meheba in Zambia's Northwestern Province, and other camps in various parts of the country. The Zambian government, the Zambian Christian Refugee Service, the Office of the United Nations High Commissioner for Refugees and, often, the liberation movements themselves worked together to establish the best ways of managing particular camps. In general, the aim was to make the refugees as self-supporting as possible. To this end they were given land, tools and seeds. This aim was best achieved at Meheba.

Zambia wordt in totaal door acht landen omsloten, waarvan de helft net als Zambia in de jaren zestig onafhankelijk werd: Kongo-Kinshasa, later Zaïre geheten en tegenwoordig de Democratische Republiek Kongo (DRC) in 1960, Tanzania in 1962, Malawi in 1964 en Botswana tenslotte in 1966. De andere vier buurlanden werden verwoest in een jarenlange gewapende onafhankelijkheidsstrijd. Angola en Mozambique werden beiden in 1975 onafhankelijk, Rhodesië (het vroegere Zuid-Rhodesië) in 1980 – waarna het Zimbabwe genoemd werd – en Namibië in 1990.

Hoewel Zuid-Afrika geen direct buurland van Zambia was, steunde de regering Kaunda actief de strijd tegen het Apartheidsregime, zoals die gevoerd werd door het *African National Congress* (ANC) en het *Pan-Africanist Congress* (PAC). Zambia en Tanzania, en al gauw ook Botswana, verwierven door hun steun de positie van *frontline states*, en Zambia werd een belangrijke basis voor bevrijdingsbewegingen zoals de *Popular Movement for the Liberation of Angola* (MPLA), de *Front for the Liberation of Mozambique* (Frelimo), de *Zimbabwe African National Union* (ZANU), de *Zimbabwe African People's Union* (ZAPU), en de *South West African People's Organization* (SWAPO) in Namibië. Behalve deze 'grote zes' kon je in de jaren '70 en '80 in Lusaka ook vertegenwoordigers van een zestal andere nationalistische bewegingen uit de buurlanden en uit Zuid-Afrika tegenkomen, waarvan de *National Union for the Total Independence of Angola* (UNITA), de meeste bekendheid kreeg.

Vluchtelingen

In het kielzog van de politieke leiders en de vrijheidsstrijders – door de regimes van Portugal, Rhodesië en Zuid-Afrika steevast 'communisten' en 'terroristen' genoemd – kwamen ook veel vluchtelingen naar Zambia: vrouwen, kinderen en jongeren.

In de *Northwestern Province* werd met buitenlandse hulp in Meheba een vluchtelingenkamp ingericht waar tienduizenden mensen uit Kongo, Angola, Namibië en andere landen voor kortere of langere tijd verbleven. Ook op andere plaatsen in het land werden zulke kampen ingericht, waarbij de Zambiaanse overheid, de *Zambian Christian Refugee Service*, de VN-vluchtelingenorganisatie UNHCR en vaak ook de bevrijdingsbewegingen zelf per kamp afspraken over het beheer maakten. Gewoonlijk werd geprobeerd de kampbewoners zoveel mogelijk zelfvoorzienend te maken, onder meer door het uitgeven van landbouwgrond en het verstrekken van gereedschap en zaaizaad. In Meheba is dit het beste gelukt.

De meeste vluchtelingen uit Mozambique, Zimbabwe, Namibië en Zuid-Afrika zijn allang naar huis teruggekeerd. Maar vluchtelingen

Most refugees from Mozambique, Zimbabwe, Namibia and South Africa have been repatriated long ago. Refugees from Angola, who had in some cases been in Zambia since the 1960s, stayed until 2002, when the civil war in Angola ended and it became safe enough for them to go home.

The price of solidarity

The international solidarity of the Zambian government with these refugee groups sometimes created problems for the Zambian population. At local level, refugees sometimes put great pressure on natural resources such as water, firewood and arable land. Insecurity increased and acts of banditry became quite common, especially from across the borders with Angola and Congo. Damage was done at macro-economic level too: Zambia's support to freedom fighters and refugees meant that it could no longer use the Benguela railway through Angola or the railway lines through Zimbabwe to harbours in Mozambique and South Africa. However, thanks to the Tanzania-Zambia railway, constructed by China between Kapiri Mposhi and Dar es Salaam, Zambia was able to continue exporting and importing.

The presence of the freedom fighters in and around Lusaka carried more than a financial cost – it also provoked many brutal reprisals. The bombings of the house of ZAPU leader Joshua Nkomo in Lusaka and of the Zimbabwean Freedom Camp just outside the capital caused the deaths of more than two hundred people, mainly women and children. Countless other bombings, shootings and kidnappings also took

■ 2003. Entry of Mwange Refugee Camp. Mporokoso District.
Entree van het vluchtelingenkamp Mwange. (1)

■ 1980. After Zimbabwe's independence, boys from J.Z. Moyo Camp are taken by bus to Ndola, whence trains will carry them to Bulawayo.
Na de onafhankelijkheid van Zimbabwe vertrekken jongens uit J.Z. Moyo kamp per bus naar Ndola. Vandaar gaat het per trein naar Bulawayo. (2)

■ 2003. Refugees queue for food. Mwange Refugee Camp. Mporokoso District.
Vluchtelingen wachten in de rij voor voedsel. (3)

■ 1980. This train will take Zimbabwean youths back home. Ndola railway station.
Per trein terug naar huis in Zimbabwe. (4)

■ 1980. Soldier and war plane on the door of a hut. Meheba Refugee Settlement.
Soldaat en gevechtsvliegtuig op de deur van een hut. (5)

■ 1979. Some 8,000 male ZAPU supporters from Rhodesia, too young for military training, were accommodated in this camp. Conditions were abominable. International agencies supplied water, food and rudimentary medical aid. Solwezi.
Zo'n 8.000 jongens, aanhangers van ZAPU uit Rhodesië, maar nog te jong voor militaire training, werden in 1979 opgevangen in een tentenkamp. De omstandigheden waren slecht. Internationale organisaties zorgden voor water, voedsel en wat medische zorg. (6)

■ 1979. Soccer team of mostly Angolan refugees. Meheba Refugee Settlement.
Voetbalteam met merendeels Angolese vluchtelingen. (7)

uit Angola, soms al sinds de jaren zestig in Zambia, bleven tot 2002, toen de burgeroorlog eindigde en Angola eindelijk veilig genoeg werd voor repatriëring.

De kosten van solidariteit

Voor de Zambiaanse bevolking heeft de internationale solidariteit van de Zambiaanse regering nogal wat problemen opgeleverd. Op lokaal niveau legden de vluchtelingen een grote druk op natuurlijke hulpbronnen als water, brandhout en landbouwgrond. Ook nam de onveiligheid toe en overvallen, vooral vanuit Angola en Kongo, kwamen steeds vaker voor.

Door de steun die Zambia verleende aan de vrijheidsstrijd en de vluchtelingen werd Zambia vooral op macro-economisch gebied ernstig gedupeerd doordat de Buenguela-spoorlijn door Angola en de spoorlijnen via Zimbabwe naar Mozambikaanse en Zuidafrikaanse havens niet gebruikt konden worden. Dankzij de door China aangelegde Tanzania-Zambia-spoorlijn tussen Kapiri Mposhi en Dar es Salaam kon Zambia blijven importeren en exporteren.

Het verblijf van de vrijheidsstrijders in en om Lusaka kostte niet alleen veel geld, het lokte ook talloze, gewelddadige, represailles uit. De bombardementen op het huis van Joshua Nkomo in Lusaka en het Zimbabwaanse *Freedom Camp* even buiten de stad, veroorzaakten de dood van meer dan tweehonderd mensen, voornamelijk vrouwen en kinderen. Talloze andere bomaanslagen, beschietingen en ontvoeringen eisten hun tol. De vernielingen door Rhodesië van bruggen en infrastructuur in Zambia was in 1979 mede aanleiding voor het oprichten van de Werkgroep Zambia in Nederland.

Vluchtelingen in Afrikaans en 'Westers' perspectief

In Europa maakt men vaak een scherp onderscheid tussen politieke en economische vluchtelingen. Economische vluchtelingen worden geweerd, tenzij hun vaardigheden op de arbeidsmarkt schaars zijn. Politieke vluchtelingen dienen politiek asiel aan te vragen en worden strenger aangepakt en eerder teruggestuurd naar hun land van herkomst dan tien jaar geleden.

In Afrika is het genoemde onderscheid nauwelijks van toepassing. Ten eerste is migratie ter verbetering van de leefsituatie in Afrika altijd gebruikelijk en vrij omvangrijk geweest. Het gaat dan, in het algemeen, om jonge, economisch succesvolle mannen die voldoende reisgeld bij elkaar kunnen brengen om aan de armoedige thuissituatie te ontsnappen en het ergens anders te proberen. De mijnen en de landbouwplantages van Zuidelijk Afrika, dus ook in Zambia, hebben zeker een eeuw lang contract- en seizoensarbeiders aangetrokken.

REPUBLIC OF ZAMBIA
Welcome to
MWANGE REFUGEE CAMP
UNHCR   GRZ   ECHO
WFP. CARE.MHA. ZRCS/IFRC   ✚C
← Established in 1999 →

their toll. Indeed, the demolition of bridges and other infrastructure in Zambia was one of the reasons for the establishment of the *Werkgroep Zambia* in the Netherlands in 1979.

African and 'Western' perspectives

In Europe, people often draw a sharp distinction between political refugees and economic migrants. Economic migrants are excluded unless their skills are scarce in the labour market. Political refugees are supposed to ask for asylum and are often repatriated, more so now than ten years ago.

In Africa, however, the line between the two groups is much harder to trace. For one thing, there has always been substantial migration throughout Africa on the part of people trying to improve their individual standards of living. In these cases, mostly young, economically successful men are able to raise enough money to escape an impoverished situation at home and try their luck elsewhere. The mines and farms of Southern Africa, including those of Zambia, have been attracting such contract and seasonal workers for about a century.

Secondly, the liberation wars in Africa, as well as subsequent armed conflicts such as those in the Great Lakes region and in Zaire after the downfall of Mobutu, have often resulted in the complete destruction of villages and local economies. No one is safe from the troops of an ethnic warlord. Is somebody who flees the violence an economic migrant or a political refugee? The answer, of course, is that he or she is both!

The refugee problem in perspective

It is worth underlining the fact that Africa houses a greater proportion of refugees than any other continent in the world. Although only 10 per cent of the world's population lives in Sub-Saharan Africa, this region is home to no less than 2.9 million refugees – or about 26 per cent of the 11 million worldwide. One should also bear in mind that the number of internal refugees, known as displaced persons, probably exceeds 3 million people, and that Sub-Saharan Africa includes the poorest countries in the world and is thus the region least able to create opportunities for refugees (*Human Development Report 2002*, UNDP).

Zambia still a safe haven for many

In Zambia in the year 2000, there were 251,000 refugees living among a total population of 10.4 million, which is to say 2.4 per cent of the population. Zambia, after Sudan, Tanzania, Guinea, and the DRC, is the country with the largest number of refugees in Sub-Saharan Africa. If one looks only at Southern Africa, one can say that the two oldest and most militant frontline states have provided – and continue to provide – stable and save havens for refugees from neighbouring countries in turmoil. Their role as peacemakers in Southern and Central Africa over a period of some forty years deserves more recognition than it has yet received.

In de tweede plaats hebben bevrijdingsoorlogen, zoals die gevoerd werden in de landen van Zuidelijk Afrika, maar ook gewapende interne conflicten, zoals die in het gebied van de Grote Meren en in het Zaïre van na Mobutu, vaak een totale verwoesting van de dorpen en de lokale economie in de hand gewerkt. Niemand is veilig voor de troepen van een etnisch krijgsheer. Is iemand die het geweld ontvlucht nu een economische of een politieke vluchteling? Het antwoord op deze vraag is natuurlijk dat hij of zij dat allebei is!

De vluchtelingenproblematiek in perspectief

Het is goed om te bedenken dat Afrika het werelddeel is dat relatief de meeste vluchtelingen telt. Hoewel maar 10 procent van de wereldbevolking in Sub-Sahara Afrika woont, herbergt deze regio maar liefst 2,9 miljoen of 26 procent van de elf miljoen vluchtelingen in de wereld. Daarbij moet men beseffen dat het aantal interne vluchtelingen, *displaced persons*, vermoedelijk nog ruim boven de drie miljoen uitkomt, en dat Sub-Sahara Afrika de armste landen ter wereld omvat, en dus het minst in staat is om vluchtelingen een wenkend perspectief te bieden (*Human Development Report 2002*, UNDP).

Zambia nog steeds een veilig toevluchtsoord

In het jaar 2000 woonden in Zambia 251.000 vluchtelingen op 10,4 miljoen inwoners. Dat is 2,4 procent van de totale bevolking. Zambia is na de Soedan, Tanzania, Guinea en de DRC het land in Sub-Sahara Afrika met het grootste aantal vluchtelingen. Beperken we ons tot Zuidelijk Afrika, dan kan gezegd worden dat de twee oudste en meest militante frontlijnstaten van weleer tevens functioneerden – en nog steeds functioneren – als een stabiel en veilig toevluchtsoord voor vluchtelingen uit woelige buurlanden. Hun rol als vredestichters in Zuidelijk en Centraal Afrika gedurende zo'n veertig jaar, heeft tot nu toe echter nog te weinig erkening gevonden.

▪ *2003. Mwange Refugee Camp.*

■ *1997. Meeting in one of the villages in Chipata District.*
Een bijeenkomst in een van de dorpjes van het district Chipata.

Political parties
Politieke partijen

Jankees van Donge

■ *1964. Kenneth Kaunda after
winning the elections and having
been sworn in as prime minister of
Northern Rhodesia. Drum magazine,
March 1964.*
*Kenneth Kaunda na zijn verkiezings-
overwinning en zijn beëdiging als
premier van Noord-Rhodesië.*

Introduction

During the 1950s Africans started non-racial political movements in Zambia, then Northern Rhodesia. During the struggle for universal suffrage, these were eventually turned into political parties. In Zambia, as elsewhere in Africa, political parties did not, and still do not, recruit a following on the basis of a political programme; rather, they enlist support primarily on the basis of ethnic identification and regional interest. This means that politicians are most likely to create their political base in their area of origin, as they can be identified with the language and culture there. It is only when a regionally based political leader aspires to a national post such as the presidency that the need to win support elsewhere arises. A party with national aspirations then has to attract supporters from other provinces and linguistic groups. A striking feature of many parties is that words such as 'united' or 'national' tend to feature in their name. Leaders will also compete on the basis that they hold the moral high ground, promising, for example, to fight corruption.

The beginning

The African National Congress (ANC) was the first political 'party' in Zambia. Founded in 1951 and led by Harry Nkumbula, an Ila from Namwala, in Southern Province, the ANC wanted independence for the whole of Northern Rhodesia and was therefore a nationalist movement. However, resistance to British rule was felt more broadly and intensely than the ANC's nationalist message, which caused schisms in the movement. In 1959, the United National Independence Party (UNIP) emerged as a radical alternative. The most prominent leaders in the UNIP were Kenneth Kaunda and Simon Kapwepwe, who were identified as Bemba speakers from Chinsali, Northern Province. When the electoral roll was broadened to include Africans, who regarded Kaunda as a morally superior leader, the UNIP won overwhelming support at the elections. Only Southern Province remained massively loyal to Nkumbula's ANC. Before independence Kaunda became prime minister in an internal transitional government.

After independence

After independence on 24 October 1964, the UNIP developed a multitude of new policy initiatives under Kaunda's leadership: more and improved education, improvements in medical care, and control over the national economy, achieved by such measures as the rapid Zambianisation of leadership positions. These were facilitated by a flourishing economy. However, stresses and strains soon emerged within the UNIP. Kaunda, Zambia's first president, had formed an ethnically balanced cabinet, thereby transforming the UNIP into a national coalition. But others argued that those areas where the UNIP was strongest, the Bemba-speaking regions, should enjoy the greatest influence. Although the issue

Inleiding

In de jaren vijftig richtten Afrikanen in Noord-Rhodesië, het huidige Zambia, niet-raciale politieke bewegingen op. In de strijd om algemeen kiesrecht werden deze tot politieke partijen omgevormd. In Zambia, zoals elders in Afrika, wierven en werven politieke partijen hun leden meestal niet op basis van een programma maar op basis van etnische banden en regionale belangen. Een politicus vindt om redenen van taal en cultuur meestal het makkelijkst steun in het gebied waar hij of zij vandaan komt. Pas als een regionaal politiek leider een hoge nationale post ambieert, bijvoorbeeld het presidentschap, moet hij of zij ook steun zoeken in andere streken. Een partij met nationale aspiraties zal dan vertegenwoordigers en stemmers uit meerdere provincies en taalgroepen moeten aantrekken. In de naam van zo'n partij vind je dan vaak termen als 'United' of 'National'. Om rivalen te verslaan, wijzen politici ook graag op hun morele superioriteit. Zij beloven bijvoorbeeld de corruptie aan te pakken.

Het begin

De eerste politieke 'partij' in Zambia was het *African National Congress* (ANC), in 1951 opgericht en geleid door Harry Nkumbula, een Ila uit Namwala, *Southern Province*. Het ANC wilde onafhankelijkheid voor heel Noord-Rhodesië, en was dus een nationale beweging. Het verzet tegen de Britten was echter breder en ook feller dan de leiding van het ANC het verwoordde. Dit leidde tot afsplitsingen waaruit in 1959 de *United National Independence Party* (UNIP) werd gevormd. De bekendste voormannen waren Kenneth Kaunda en Simon Kapwepwe die indertijd beiden bekend stonden als Bembasprekers uit Chinsali, *Northern Province*. Toen na de invoering van het algemeen stemrecht verkiezingen werden gehouden, won de UNIP glansrijk, met Kaunda in de rol van moreel superieur leider. Alleen de Southern Province bleef massaal trouw aan Nkumbula's ANC. Zo werd Kaunda al voor de onafhankelijkheid premier van een intern overgangsbestuur.

Na de onafhankelijkheid

Na de onafhankelijkheid op 24 oktober 1964, ontwikkelde de UNIP onder leiding van Kaunda veel nieuw beleid afgestemd op een bloeiende economie: meer en beter onderwijs, verbetering van de gezondheidszorg en zeggenschap over de nationale economie. Hij wilde dit onder meer waarmaken door de zambianisering van kaderfuncties. Al snel ontstonden er spanningen binnen de UNIP. Kaunda, als eerste president van Zambia, stelde een etnisch evenwichtig kabinet samen en op deze manier realiseerde hij een nationale coalitie binnen de UNIP. Anderen wilden juist de Bemba-sprekende gebieden, waar de partij het sterkst was, de meeste invloed geven. Dit conflict werd op een partijcongres in 1967 in het voordeel van Kaunda beslist. Maar de spanningen tussen de regio's bleven binnen de partij opduiken. De *United Party* (UP), onder Lozi politicus

81

was settled in Kaunda's favour at a party congress in 1967, relations continued to be strained between regional blocks in the party. In 1966, the United Party (UP) under the leadership of the Lozi politician, Nalumina Mundia, had already broken away from the UNIP. The UP also had considerable support among the Lozi on the Copperbelt, who soon felt Kaunda's repression. Mundia subsequently dissolved the party and joined the ANC.

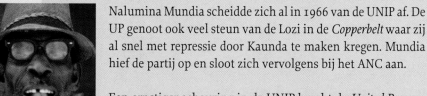

More serious was the schism of the United Progressive Party (UPP), founded in 1971 and led by Kaunda's boyhood friend, Kapwepwe. Since the UPP found the majority of its support in the North and on the Copperbelt, it was labelled a Bemba party. However, the UPP's leadership was multi-ethnic, while its main preoccupation was criticism of Kaunda's policies. Kapwepwe favoured more moderate policies towards Portugal, which still ruled over neighbouring Angola and Mozambique, as well as towards the white minority regimes in Rhodesia, formerly Southern Rhodesia, South Africa and Namibia. Kaunda's policy of supporting liberation movements in those countries had proved costly for Zambia. Kapwepwe had been Kaunda's vice-president and minister of finance, which gave him intimate knowledge of the economic sacrifice caused by Kaunda's stance in Southern Africa. Kaunda and Kapwepwe also disagreed about the nationalisation of the mines, which Kaunda regarded as essential. Above all, Kapwepwe pleaded for greater fiscal prudence.

The one-party state

Although Kaunda did not immediately ban UPP, he put most of its leaders in detention. He had always declared himself a proponent of the one-party state, but had intended to establish this through the ballot box. Now, however, he was no longer prepared to await the voters' favour and instituted a commission to study the establishment of a one-party state. Legislation provided the foundation for such a state in 1972, after the ANC had dissolved itself. The UNIP, now the only party, was supposed to be democratic internally. Detained UPP politicians were gradually released, after which most rose again within the UNIP's political hierarchy.

The one-party state was better received in Zambia than is nowadays assumed, mainly because it brought an end to endemic violence between political parties in the so-called 'squatter compounds', especially during elections. Elections also played a significant role in the one-party state. Parliamentary elections always offered a choice of candidates, with political heavyweights regularly losing out to promising, hard-working newcomers. However, there was only one candidate for the presidency. Voters had the choice of voting yes or no in the presidential election, and a considerable number of people voted no. In the Chisekesi constituency in Southern Province the 'no' vote totalled more than 90 per cent throughout the entire life of the one-party state. However, after 1972 the UNIP

Nalumina Mundia scheidde zich al in 1966 van de UNIP af. De UP genoot ook veel steun van de Lozi in de *Copperbelt* waar zij al snel met repressie door Kaunda te maken kregen. Mundia hief de partij op en sloot zich vervolgens bij het ANC aan.

Een ernstiger scheuring in de UNIP bracht de *United Progressive Party* (UPP) die in 1971 werd opgericht en door Kaunda's jeugdvriend Kapwepwe werd geleid. De steun voor de UPP was het grootst in het noorden en in de Copperbelt. De UPP werd daarom een Bemba partij genoemd. De UPP had echter een multi-etnisch leiderschap en bekritiseerde vooral het beleid van Kaunda. Kapwepwe bepleitte een gematigder politiek ten opzichte van zowel Portugal, dat Zambia's buurlanden Angola en Mozambique bestuurde, als de blanke regimes in Rhodesië (het vroegere Zuid-Rhodesië), Zuid-Afrika en Namibië. Kaunda's beleid van steun aan de bevrijdingsbewegingen in die landen was Zambia duur komen te staan. Als voormalig vice-president en minister van financiën, wist Kapwepwe maar al te goed hoe Zambia economisch te lijden had van Kaunda's stellingname tegen de blanke regimes. Ook over de door Kaunda doorgevoerde nationalisatie van de mijnen verschilden de twee van mening. Verder was Kapwepwe voorstander van grotere fiscale prudentie.

De éénpartijstaat

Kaunda verbood de UPP niet onmiddellijk, maar detineerde wel de meeste leiders. Hij was altijd al een voorstander van een éénpartijstaat geweest, maar had deze het liefst via de stembus willen verwezenlijken. Omdat hij niet langer op toestemming van de kiezer wilde wachten, stelde hij nu een commissie in ter bestudering van de éénpartijstaat. In 1972 werd deze bij wet ingevoerd en hief het ANC zich op. De UNIP was nu de enige politieke partij die nog over was en zou intern de democratie betrachten. Geleidelijk aan werden UPP-politici vrijgelaten. De meesten vonden via de UNIP uiteindelijk weer hun weg naar hoge posten.

De éénpartijstaat werd in Zambia trouwens met meer enthousiasme ontvangen dan men tegenwoordig aanneemt, vooral omdat hij een eind maakte aan veelvuldig bruut verkiezingsgeweld tussen de partijen in de stedelijke volkswijken. Het waren ook geen 'loze' verkiezingen die tijdens de éénpartijstaat werden gehouden. Bij parlementsverkiezingen volgens het districtenstelsel was er altijd een keuze tussen meerdere kandidaten per district en politieke zwaargewichten verloren regelmatig van veelbelovende of hardwerkende nieuwkomers.

Er was altijd echter maar één presidentskandidaat, Kaunda, en kiezers konden een 'ja' of 'nee' uitbrengen bij de presidentsverkiezingen. Veel mensen echter stemden 'nee'. Chisekesi district in de Southern Province heeft zelfs gedurende de hele periode van de éénpartijstaat met meer dan 90 procent van de stemmen 'nee' gestemd. Na 1972 werd de UNIP meer en

■ *1968. Students welcoming Vice-President Kapwepwe. Mkushi Secondary School.*
Leerlingen verwelkomen vice-president Kapwepwe.

Next page / *volgende pagina*
■ *1966. Presidents Nyerere of Tanzania (left) and Kaunda just before laying the foundation*
stone for the University of Zambia. Lusaka.
De presidenten Nyerere van Tanzania (links) en Kaunda op weg naar de eerstesteenlegging
van de Universiteit van Zambia. (1)

■ *1967. President Kaunda & cabinet ministers singing freedom songs.*
Munali School Concert, Lusaka.
President Kaunda en een aantal ministers zingen vrijheidsliederen. (2)

■ *1996. Fredrick Chiluba will be remembered as the MMD-leader who ended the one-party state.*
Fredrick Chiluba, leider van de MMD, maakte een eind aan de éénpartijstaat. (3)

■ *1971. Members of 'Africa 2000' inform visitors about the liberation movements. Lusaka*
Agricultural Show.
Leden van 'Africa 2000' geven voorlichting over de bevrijdingsbewegingen. (4)

became increasingly dominated by an oligarchy. Kaunda's position seemed unassailable. Since the mid 1960s the president had endeavoured to give the party an ideological foundation. At first this found form in the loose and eclectic 'Zambian humanism'; however, in the 1970s Marxist rhetoric gained ground, especially in party circles and among educational policymakers. Kapwepwe was readmitted to the UNIP and announced his candidacy for the presidency, but was then detained again. This conflict with Kapwepwe, a Bemba, led to increasing identification of the UNIP with Eastern Province. Kaunda's parents had originated from neighbouring Malawi; hence Kaunda's mother tongue was chi-Nyanja or chi-Chewa and not ci-Bemba.

Exit Kaunda

Effective opposition within the UNIP proved impossible. The economy went rapidly downhill and the UNIP's ideologues could provide no solutions to the problems. A protest movement, the Movement for Multiparty Democracy (MMD), demanded a referendum on the one-party state. At a national congress, Frederick Chiluba, a trade unionist who was identified as being of Luapulan origin and who enjoyed strong support on the Copperbelt, defeated all his rivals for leadership of the party. The call for multiparty democracy was so massive that a referendum was no longer considered necessary, and multiparty elections were held in 1991. Policy choices had finally reappeared in the electoral context. The MMD emerged as the major winners, with the UNIP only retaining massive support in Eastern Province. Chiluba's government absolved the government of all socialist pretensions and embarked on a rapid liberalisation of economic life.

However, soon after the election victory the MMD faced the first of many schisms. Rivals for Chiluba's leadership tried to break the national coalition. It is significant that one of the parties in the coalition, the National Party (NP), was nicknamed the 'party of aspiring presidents'. Of course, the politicians who defected did not admit that they were motivated by being thwarted in their presidential ambitions; they claimed that their main reason for breaking away was to protest against corruption.

1996

Chiluba scored another big election victory in 1996. The only other significant party was the Zambia National Congress (Zanaco) led by Dean Mung'omba. The Zanaco presented itself as the party of young, highly educated reformers. Countrywide they gained about ten per cent of the vote, but won few seats owing to the 'first-past-the-post-constituency' electoral system. Although the UNIP boycotted the elections, many former UNIP supporters voted nevertheless.

meer door een oligarchie bestuurd. Kaunda's positie leek onaantastbaar. De president was al jaren bezig zijn partij een ideologisch fundament te geven. Aanvankelijk was dat het pluriforme 'Zambiaans humanisme' maar later werd de marxistische retoriek steeds sterker, ook in bijvoorbeeld de plannen voor de hervorming van het onderwijs. Toen Kapwepwe zich in de late jaren zeventig opnieuw voor het presidentschap kandidaat stelde, ging hij weer de gevangenis in. Door de conflicten met de Bemba Kapwepwe groeide de affiniteit tussen de UNIP en de *Eastern Province*. Kwamen Kaunda's ouders niet uit buurland Malawi en was Kaunda's moedertaal niet het chi-Nyanza of het chi-Chewa, in plaats van het chi-Bemba?

Exit Kaunda

Oppositie voeren binnen de UNIP bleek niet mogelijk. Met de economie ging het bergafwaarts en de ideologen van de UNIP konden geen oplossingen vinden voor alle problemen. Er ontstond een protestbeweging die een referendum over de éénpartijstaat eiste. Deze beweging heette de *Movement for Multiparty Democracy* (MMD). Tijdens een nationaal congres werd Fredrick Chiluba uit een aantal rivalen, met een overweldigende meerderheid, tot partijleiden gekozen. Hij was een vakbondsleider afkomstig uit de provincie *Luapula* en genoot veel aanhang in de Copperbelt. De roep om een meerpartijenstelsel was zo sterk dat zelfs van het referendum werd afgezien. In 1991 werden verkiezingen gehouden waar meerdere partijen aan mee konden doen. Nieuw was ook dat in de verkiezingsstrijd voor het eerst sinds lange tijd beleid en programma's weer centraal stonden. De MMD kwam als grote overwinnaar uit de bus. De UNIP behield alleen veel aanhang in de Eastern Province. De regering Chiluba brak met alle socialistische pretenties van de UNIP en zette snel de liberalisering van het economisch leven in. Zodra de MMD aan de macht kwam verlieten afsplitsingen, geleid door rivalen van Chiluba, het brede nationale front. Eén zo'n afsplitsing was de *National Party* (NP), ook wel de partij van de 'aspirant-presidentskandidaten' genoemd. Deze erkenden niet openlijk dat ze in hun ambities gedwarsboomd werden, maar deden alsof zij uit protest tegen corruptie de MMD verlaten hadden.

1996

In 1996 boekte Chiluba opnieuw een grote verkiezingsoverwinning. De enige andere politieke partij van gewicht was het *Zambia National Congress* (Zanaco), geleid door Dean Mung'omba. Het was een partij die zich afficheerde als de partij van jonge, hoogopgeleide hervormers. Zanaco kreeg landelijk ongeveer tien procent van de stemmen, maar door het districtenstelsel weinig zetels. De UNIP boycotte deze verkiezingen, maar veel aanhangers brachten niettemin hun stem uit.

86

■ *1997. Women's liberation on the roadside. Chipata District.*
Vrouwenemancipatie langs de weg.

The 2001 elections

After Kaunda's rule of 27 years, it had been stipulated in the constitution that a president could not serve more than two terms. Nevertheless, in the last year of his second term Chiluba attempted to stand for a third term, thereby losing all the respect he had built up amidst numerous controversies. Resistance inside as well as outside the MMD was fierce. MMD leaders who protested against a third term were expelled from the party, and started a new party called the Forum for Development and Democracy (FDD). When he realized he had no chance of winning the battle, Chiluba withdrew his candidacy.

During the 2001 elections, for the first time there was no broad-based party representing a dominant national coalition. One party among the many who competed proved to be a powerful player, the United Party for National Development (UPND), led by Anderson Mazoka, a Tonga speaker from Southern Province. During the elections, Mazoka also proved to have a lot of support in Western Province and North-western Province. Elsewhere, however, the UPND had no support and thus remained a regional party. The MMD proved strong in Bemba-speaking areas again, while the FDD had a great deal of support in Lusaka, and the UNIP remained dominant in Eastern Province. For the first time in Zambian history, parliament was fragmented and the new president could no longer automatically count on a majority.

Levy Mwanawasa, the MMD candidate, won the presidential election with a very small margin. A founding member of the MMD, he had re-signed from government and the party's National Executive Committee during Chiluba's first term. Mwanawasa is a lawyer, an intellectual without strong regional support. He grew up on the Copperbelt as the child of a Lamba father and a Soli, Tonga-speaking, mother. (The traditional home area of the Lamba is in the Copperbelt). Mwanawasa won votes in areas where Chiluba had strong support and seemed to be Chiluba's puppet, so it was very surprising when he turned against Chiluba and ordered an investigation into serious allegations of corruption surrounding the ex-president. Chiluba was arrested in August 2003 and charged with the theft of thirty million US dollars. Time will tell whether Mwanawasa can also gain the moral prestige that Zambians demand of a president in other areas than combating corruption. And he has yet to show that he can mobilise a broad national coalition.

De verkiezingen van 2001

Na het langjarige tijdperk Kaunda had de MMD laten vast-leggen dat een president nooit meer dan twee termijnen zou mogen dienen. In het laatste jaar van zijn tweede termijn verspeelde Chiluba het respect dat hij ondanks allerlei ge-krakeel had opgebouwd, door toch een derde termijn te ambiëren. Zowel binnen als buiten de MMD ontstond fel verzet. De MMD-leiders die een derde termijn afwezen, werden uit de partij gezet en vormden een nieuwe partij: het *Forum for Development and Democracy* (FDD). Toen Chiluba daarna inzag dat hij geen kans maakte, trok hij zich als kandidaat terug.

Bij de verkiezingen van 2001 was er geen brede partij meer die een domi-nante landelijke coalitie vertegenwoordigde. Onder de vele partijen was er één partij die zich als krachtige oppositiepartij tegenover de MMD be-wees: de *United Party for National Development*, (UPND), die door Anderson Mazoka, een Tongaspreker uit de Southern Province geleid werd. Bij de verkiezingen kreeg Mazoka ook veel steun uit de *Western Province* en de *Northwestern Province*, zonder echter nationaal door te breken. De MMD bleef vooral sterk in de Bemba-sprekende gebieden. De FDD had veel aanhang in Lusaka en de UNIP bleef sterk in de Eastern Province. Zo ontstond voor het eerst een tamelijk gefragmenteerd parlement en de nieuwe president kon niet automatisch meer op een meerderheid rekenen.

De MMD-kandidaat, Levy Mwanawasa, won de presidentsverkiezingen met een heel klein verschil. Hij was een van de oprichters van de MMD, die tijdens Chiluba's eerste termijn uit de regering en het partijbestuur was gestapt. Mwanawasa is advocaat, een intellectueel zonder een sterke geografische achterban. Hij groeide op als kind van een uit de Copper-belt afkomstige Lamba vader en een Soli, Tongasprekende, moeder. Hij won stemmen in die gebieden waar Chiluba's aanhang sterk was en leek dan ook een stroman van Chiluba te zijn. Groot was de verrassing toen hij zich tegen Chiluba keerde en opdracht gaf ernstige corruptie-schandalen rond de ex-president uit te zoeken. In augustus 2003 werd Chiluba gearresteerd en in staat van beschuldiging gesteld. De tijd zal leren of Mwanawasa ook op andere terreinen de morele kracht toont die een goede president siert. Hij is nog te kort aan de macht om te kun-nen voorspellen of het hem zal lukken een brede nationale coalitie te vormen.

88

■ *1984. Church in refugee settlement.*
Northwestern Province.
Kerk in vluchtelingenkamp.

Church union and the United Church of Zambia
Kerkfusies en de verenigde kerk van Zambia

At Ipenburg

Churches in Zambia

Some 85 per cent of Zambia's population belong to one of the Christian churches, with the other 15 per cent comprising Muslims, Hindus, adherents of the Baha'i faith and atheists. However, traditional African values and beliefs still persist strongly alongside these religions, especially in the areas of healing and witchcraft eradication.

Hundreds of different church denominations are active. The largest of these are the United Church of Zambia, the Roman Catholic Church, the Jehovah's Witnesses, the Reformed Church of Zambia, the African Methodist Episcopal Church and the Anglican Church. These churches originate from the efforts of European, American and South African missionaries, together with those of African evangelists and teachers, from the 1880s onwards. There are also, however, a large number of African-initiated churches, such as the Kimbangu Church founded by Simon Kimbangu (enjoying considerable support in the Congo and Angola, as well as in Zambia), the Mutima Church founded by Emilio Mulolani Chishimba, the Small Church of God, the Apostolic Faith Mission, the New Jerusalem Church (or Lumpa Church) founded by Alice Lenshina Mulenga, the Apostles of Johane Marauke, and the Gospel of God Church, also known as the Masowe Apostles.

At the national level, churches co-operate in three bodies: the Christian Council of Zambia, the broadest grouping of the three and affiliated to the World Council of Churches, the Zambia Episcopal Conference, which unites the ten Roman Catholic dioceses in Zambia, and the Evangelical Fellowship of Zambia, which unites evangelical Protestant churches. These three bodies co-operate in the Oasis Forum, which on occasion speaks out on social, ethical and political issues and promotes interfaith dialogue. It has also agreed on an inter-religious syllabus for religious education.

A history of church union

A number of British and French Protestant missions laid the foundations for the United Church of Zambia (UCZ). The Church of Scotland was active through its Livingstonia Mission among the Bemba, Bisa and Mambwe people in Northern Province. The London Missionary Society

■ *1984. In Zambia every Sunday is still a Sunday.*
In Zambia is elke zondag nog een echte zondag. (1)

■ *1966. Mosque. Chipata, Eastern Province.*
Moskee. (2)

■ *1984. The service is celebrated in- and outside the church.*
De dienst wordt zowel binnen als buiten de kerk gevierd. (3 + 4)

De kerken in Zambia

Ongeveer 85 procent van de bevolking van Zambia wordt als christen beschouwd. De overige 15 procent bestaat uit aanhangers van de islam, het hindoeïsme, het bahaigeloof, of is atheïst. Traditionele Afrikaanse waarden en geloofsopvattingen leven echter nog sterk naast en binnen deze religies, met name op het gebied van genezing en de bestrijding van hekserij.

Er zijn honderden verschillende kerkgenootschappen. De belangrijkste zijn: de verenigde kerk van Zambia (UCZ), de rooms-katholieke kerk, de jehovah's getuigen, de Afrikaanse methodistische episcopale kerk (AMEC), en de anglicaanse kerk. Deze kerken zijn vanaf 1880 ontstaan uit de inspanningen van zendelingen en missionarissen die uit Europa, Zuid-Afrika en Amerika afkomstig waren. Daarnaast bestaan er ook een groot aantal onafhankelijke Afrikaanse kerken, zoals de Kimbangu kerk, gesticht door Simon Kimbangu (en die zowel in Kongo en Angola als in Zambia een aanzienlijke aanhang heeft), de Mutima kerk, gesticht door Emilio Mulolani Chishimba, de kleine kerk van God, de apostolische geloofszending, de kerk van het Nieuwe Jeruzalem (of Lumpa kerk) van Alice Lenshina Mulenga, de apostelen van Johane Marauke en Gods evangeliekerk, ook bekend als de Masowe apostelen.

Op landelijk niveau werken de kerken samen in drie instellingen: de Christelijke Raad van Zambia (CCZ) die de breedste koepel vormt en geaffilieerd is aan de wereldraad van kerken, de Zambiaanse bisschoppenconferentie, die de tien katholieke bisdommen van Zambia verenigt, en het evangelisch genootschap van Zambia (EFZ), die de evangelicale kerken verenigt. Deze drie organisaties werken samen in het Oase Forum, wat bij gelegenheid zich uitspreekt over sociale, ethische en politieke vraagstukken, en daarnaast de interreligieuze dialoog bevorderd. Het Forum heeft ook overeenstemming bereikt over een interreligieus leerplan voor het vak godsdienst.

Fuserende kerken

Een aantal Engelse en Franse protestantse zendingsgenootschappen hebben aan de wieg van de verenigde kerk van Zambia (UCZ) gestaan. De kerk van Schotland was via de Livingstonia zending actief in de *Northern Province* onder de Bemba, Bisa en Mambwe. Het Londense zendingsgenootschap (LMS) richtte zich op de Lunda en Bemba van de *Luapula Province* en de Northern Province. De Parijse evangelische zendingsvereniging werkte onder de Lozi van de *Western Province*, terwijl de Wesleyaanse methodistische zendingsvereniging (de latere methodistische zendingsvereniging) onder de Ila van de *Central Province* en de Tonga van de *Southern Province* werkte. De verenigde zendingen in de Copperbelt was een gezamenlijke activiteit van de kerk van Schotland en het Londense

91

(LMS) worked among the Lunda and Bemba of Luapula Province and Northern Province. The Paris Evangelical Missionary Society (PEMS) focused on the Lozi of Western Province, while the Wesleyan Methodist Missionary Society (later called the Methodist Missionary Society) worked among the Ila of Central Province and the Tonga of Southern Province. The United Missions to the Copperbelt was a joint mission by the Church of Scotland and the LMS, and worked among the miners (who came mainly from Luapula Province and Northern Province). All these organisations pursued a holistic mission aimed at serving the whole human being – body, spirit and soul. Hence, they pioneered education and health care long before the government did.

The UCZ was thus born out of very early efforts towards church union, and is the fruit of the world wide ecumenical movement. It unites Episcopal Methodists, Evangelicals, Presbyterians, Congregationalists and Calvinists. It also brings together many ethnic groups, including Bemba, Lozi, Tonga, Ila, Mambwe, Lunda and the peo-ple of the Copperbelt.

The origins of this church union date back to 1937, when Dr David Brown of Lubwa Mission initiated a meeting between representatives of Livingstonia Mission (Presbyterians) and the LMS (Congregationalists). It was explicitly stated that in the new church '... there would be no colour distinction and Europeans and Africans would have equal status'. It would be named 'the Church of Central Africa', 'not in a spirit of arrogance and exclusiveness, but as anticipating further union'. Brown also saw this new church as a means of uniting 'the forces of the Reformed Faith' against the power of Rome.

Thus it was that an historic act of church union took place in Chitambo on 1 December 1945, bringing together the Church of Central Africa Presbyterian, the Union Church of the Copperbelt, and the congregations of the LMS. During the preceding negotiations these three churches had been represented by African ministers, namely the Reverends Isaac Mfula Mutubila, Henry Kasokolo, and John Chifunda, respectively. Four more African ordained ministers were present at the union ceremony, underlining the churches' efforts at African advancement. Also present, as what might be called 'godfathers' to the church union, were the Governor of Northern Rhodesia, Sir John Waddington, the Anglican Bishop R. Selby Taylor and the Reverend E.G. Nightingale of the Methodist Church.

The United Church of Zambia

In 1958 the Central Free Church Council, which co-ordinated seven European congregations, merged with the Church of Central Africa in Rhodesia (CCAR) to form the United Church of Central Africa (UCCAR).

zendingsgenootschap. Ze werkten daar onder de mijnwerkers, waarvan de meesten uit de noordelijke provincies kwamen. Deze organisaties beoogden allemaal een holistische zending, die zich richtte op de hele mens - lichaam, geest en ziel. Ze waren de pioniers op het gebied van onderwijs en de gezondheidszorg, lang voordat de overheid hiervoor de verantwoordelijkheid op zich nam.

De UCZ kwam eigenlijk voort uit vroege pogingen tot kerkelijk eenheid en is de vrucht van de wereldwijde oecumenische beweging. Zij verenigt in zich de episcopale methodisten, evangelicalen, presbyterianen, congregationalisten en calvinisten. Daarnaast omvat zij een groot aantal verschillende etnische groepen, zoals de Bemba, Lozi, Tonga, Ila, Mambwe en Lunda en de bevolking van de Copperbelt.

De oorsprong van de kerkunie gaat terug tot 1937 toen Dr David Brown van de *Lubwa Mission* een bijeenkomst organiseerde van vertegenwoordigers van de Livingstonia zending (presbyterianen) en de LMS. Het werd expliciet geformuleerd dat er in de nieuwe kerk '... geen onderscheid zal zijn naar huidskleur en dat Europeanen en Afrikanen een gelijke status zullen hebben'. De kerk zal de 'Kerk van Centraal Afrika' heten, 'niet in een geest van arrogantie en exclusiviteit, maar in afwachting van een verdere kerkunie'. Brown zag deze nieuwe kerk ook als middel om 'de krachten van het reformatorische geloof' te bundelen tegen de macht van Rome.

De historische stap tot kerkelijk samengaan vond plaats op 1 december 1945 in Chitambo. De drie betrokken kerken waren: de presbyteriaanse kerk van Centraal Afrika, de verenigde kerk van de Copperbelt en de gemeenten van de LMS. Tijdens de onderhandelingen waren de drie kerken vertegenwoordigd door Afrikaanse predikanten, namelijk ds. Isaac Mfula Mutubila, ds. Henry Kasokolo en ds. John Chifunda. Er waren nog vier andere Afrikaanse predikanten bij de plechtigheid aanwezig, wat onderstreept dat het de kerken ernst was de leiding aan Afrikanen over te dragen. Ook aanwezig waren – als een soort peetvaders – de gouverneur, Sir John Waddington, de Anglicaanse bisschop R. Selby Taylor en ds. E.G. Nightingale van de methodistische kerk. In 1958 ging de *Copperbelt Free Church Council*, die zeven Europese gemeenten coördineerde, op in de kerk van Centraal Afrika in Rhodesië om samen de verenigde kerk van Centraal Afrika in Rhodesië (UCCAR) te worden.

De verenigde kerk van Zambia

In 1965, minder dan drie maanden na de Onafhankelijkheid, vormden de UCCAR, de evangelische kerk van Barotseland (voortgekomen uit het Parijse zendingsgenootschap) en de methodistische kerk de verenigde kerk van Zambia (UCZ). Volgens Kenneth Kaunda zou de UCZ

■ *1984. Singing is an important part of the service.*
Het zingen is een belangrijk onderdeel van de dienst.

In 1965, less than three months after independence, the UCCAR joined with the congregations of the Copperbelt Free Church Council, the Evangelical Church of Barotseland (originating from the PEMS) and the Methodist Church to form the United Church of Zambia. President Kaunda expressed his opinion that the UCZ would eventually develop into Zambia's national church, uniting all Christian denominations. This national church would then, so he thought, work with the United National Independence Party (UNIP) to establish a new and more humane society.

Today, the UCZ is the largest Protestant church in Zambia, with over one million members and about 1,300 congregations. It is organised into sections, congregations, and consistories, which in turn fall under nine presbyteries, headed by bishops, and one synod, headed by the President of the UCZ. Local languages are used throughout, with only a few big cities having an English-language congregation.

The UCZ is actively engaged in ministries for youth, women and men. It has a boys' brigade, a girls' brigade, Sunday schools, youth choirs, youth fellowship groups, a women's Christian fellowship (KBBK) and a men's Christian fellowship. The KBBK is active in pastoral care, and the red jackets, black skirts and white headdresses of its members are a familiar sight. If somebody is sick, bereaved or otherwise in need, KBBK members visit him or her to provide concrete help. It also organises courses in practical skills such as sewing. Choirs are also a very dynamic part of church life, offering young people a chance to contribute to – and often innovate – church music and competing in very popular regional and national competitions.

The UCZ plays an important role in providing education and health care to the people. It runs three hospitals: Chitambo Hospital in Serenje, Mbereshi Hospital in Kawambwa, and Mwandi Hospital near Livingstone. The church also runs five rural health centres: at Maheba, Chipembi, Kafue, Njase and Masuku. It operates a farm college at Chipembi and five secondary schools: two for girls (Chipembi and Njase), one for boys (Kafue), and two co-ed schools (Sefula and Masuku). The Malcolm Moffat Teacher Training College at Serenje trains teachers for primary schools.

In short, Zambia's pioneering experiment in church unity, which began so many years ago, continues to make a valuable contribution to the social, physical and spiritual health of the nation.

uiteindelijk moeten uitgroeien tot de nationale kerk van Zambia, die alle kerkgenootschappen zou verenigen. Deze kerk zou samen met de *United National Independence Party* (UNIP) in Zambia een nieuwe, meer humane samenleving tot stand brengen.

De UCZ is de grootste protestantse kerk in Zambia met meer dan een miljoen leden en ongeveer 1.300 gemeentes. De kerk is georganiseerd in secties, gemeenten en consistories, die op hun beurt weer in negen classes vallen met aan het hoofd een bisschop, en een synode met aan het hoofd de president van de UCZ. In de kerkdiensten gebruikt men over het algemeen locale talen. Alleen in enkele grote steden is er een Engelstalige gemeente.

De UCZ ontwikkelt veel activiteiten voor de jeugd, voor vrouwen en voor mannen. Er is een jongensbrigade, een meisjesbrigade, een zondagsschool, een jeugdwerkorganisatie, een christelijke vrouwenvereniging (KBBK) en een mannenvereniging, en er zijn jongerenkoren. De KBBK doet veel aan pastorale zorg. De vrouwen met hun rode jak, zwarte rok en witte hoofdtooi zijn een bekend gezicht. Als iemand ziek is, in rouw verkeert, of in de problemen zit, krijgt hij of zij bezoek van een groep KBBK-vrouwen, die concreet hulp biedt. De KBBK houdt bijeenkomsten en organiseert bijvoorbeeld naaicursussen. Kerkkoren zijn een zeer dynamisch element in de kerk, met jongeren die een belangrijke rol spelen in de vernieuwing van kerkmuziek. Koren geven uitvoeringen op regionale en landelijke wedstrijden, die erg populair zijn.

De UCZ werkt op het terrein van onderwijs en gezondheidszorg. Het heeft drie ziekenhuizen: Chitambo in Serenje, Mbereshi in Kawambwa en Mwandi Ziekenhuis bij Livingstone. De kerk heeft vijf gezondheidscentra, in Maheba, Chipembi, Kafue, Njase en Masuku. Zij is verantwoordelijk voor een landbouwschool te Chipembi en vijf middelbare scholen: twee voor meisjes (Chipembe en Njase), een voor jongens in Kafue, en twee gemengde scholen in Sefula en Masuku. De Malcolm Moffat Pedagogische Akademie in Serenje leidt onderwijzers op voor het lager onderwijs.

Kortom, Zambia's baanbrekende experiment met de vereniging van zeer verschillende kerken, zoveel jaren geleden begonnen, draagt nog steeds bij aan het sociale, lichamelijke en spirituele welzijn van de natie.

■ *1997. After church: going home with a satisfied mind. Katete.*
Na de kerkdienst opgewekt naar huis.

■ *1997. In front of St Francis Hospital, Katete.*
Bij de ingang van het St Francis Hospital.

The Catholic Church since independence
De katholieke kerk na 1964

Hugo Hinfelaar

Unprepared

The Catholic Church was poorly prepared when independence came to Northern Rhodesia on 24 October 1964 and the newly named country of Zambia was born. Many missionaries had assumed that independence would not be granted for another 25 years. There were no African bishops and only a very small number of local priests and sisters.

In contrast to the Protestants, lay Catholics were scantily prepared for any form of leadership in the new government. Those who took up ministerial responsibilities had entered the political arena without much support from the Church, and were at times even suspicious of the missionaries. In the urban areas of the Copperbelt and Lusaka, active groups of expatriate Catholics had enthusiastically assisted in the establishment of inner-city parishes and the building of churches. However, there had hardly been any attempt to integrate with the local Catholics who worshipped at chapels in compounds, at the Missions and at the hundreds of outstations spread all over the country.

Moreover, many Church leaders were unprepared for the dramatic impact of the Second Vatican Council, which took place between October 1963 and December 1965. One bishop later admitted that he went to the gathering in Rome with the intention of proceeding after a few weeks to other European countries in order to raise funds. At the outset of the Council's proceedings he had little clue as to what was going on. The initiative lay in the hands of the 'Western' *periti* (expert advisors of the Vatican) and the contribution of the Zambian bishops was minimal. Nevertheless, the theological and socio-political outcomes of the Second Vatican Council were far-reaching worldwide.

Stirrings

Catholic missionaries had first arrived in the country in 1891. By the time Zambia gained its independence, the strengths of the Catholic Church were twofold. Firstly, it had put down strong roots amongst ordinary people at grassroots level; secondly, it professionally managed a good number of schools and hospitals all over the country. The White Fathers in the north and the east, the Franciscans in the west and on the Copperbelt and the Jesuits in the central and southern areas of the country all had a good command of the local languages and a working knowledge of their region's cultures and customs.

Nevertheless, in some quarters the presence of the missionaries was equated with foreign influence. During the 1950s, the emergence of

■ *1997. Church Services in the Catholic Church (1-9)*
Katholieke kerkdiensten

Onvoorbereid

De rooms-katholieke kerk was in 1964 nauwelijks voorbereid op de onafhankelijkheid van Zambia. Veel missionarissen meenden dat Groot-Brittannië het land nog wel 25 jaar zou besturen. De kerk had geen Afrikaanse bisschoppen en slechts een klein aantal inheemse priesters en zusters.

Anders dan onder protestanten, waren er nauwelijks mensen van katholieke huize beschikbaar voor leidinggevende functies in de nieuwe regering en het overheidsapparaat. Degenen die wel minister werden, waren zonder veel steun van de kerk de politiek ingegaan. Sommige van hen koesterden zelfs achterdocht jegens de missionarissen. In de verstedelijkte centra van Lusaka en in de *Copperbelt* hadden actieve buitenlandse katholieken de stichting van kerkelijke gemeenten en de bouw van kerken enthousiast ondersteund. Maar men had geen aansluiting gezocht bij de Afrikaane katholieken die hun erediensten in kleine kerkjes in de dichtbevolkte stadswijken hielden, laat staan bij de honderden grotere en kleinere missieposten verspreid over het hele land.

Veel kerkleiders werden verrast door de verreikende besluiten en gevolgen van het Tweede Vaticaans Concilie, dat van oktober 1963 tot december 1965 werd gehouden. Een bisschop uit Zambia gaf toe dat hij naar Rome was gegaan met het plan om na enkele weken elders in Europa fondsen te gaan werven. Hij had geen idee gehad waar dit Concilie over zou gaan. Het initiatief lag geheel bij 'Westerse' *periti* (deskundige adviseurs van het Vaticaan) en de inbreng van bisschoppen uit Zambia was minimaal. Dit Concilie bleek later echter over de hele wereld verstrekkende theologische en sociaal-politieke gevolgen te hebben.

De beginperiode

De eerste katholieke missionarissen arriveerden in 1891. Toen Zambia in 1964 onafhankelijk werd, had de inmiddels gestichte katholieke kerk twee sterke kanten. Allereerst was de kerk sterk geworteld onder de gewone mensen in plaatselijke gemeenschappen. Op de tweede plaats leidde de kerk op vakkundige wijze in het hele land een flink aantal scholen en ziekenhuizen. De witte paters in het noorden en oosten, de franciscanen in het westen en in de Copperbelt, en de jezuïeten in de centrale en zuidelijke delen van het land, spraken allemaal de lokale taal van hun streek, en waren redelijk goed bekend met de plaatselijke cultuur.

Desondanks werd de aanwezigheid van de missionarissen door bepaalde groepen gezien als laakbare buitenlandse invloed. Emilio Mulolani, een intelligente oud-seminarist, stichtte de onafhankelijke Mutima Kerk, en Alice Lenshina Mulenga, een getrouwde presbyteriaanse vrouw, claimde een goddelijke opdracht voor Afrikanen ontvangen te hebben. Ze stichtte de Lumpa Kerk die zich sterk afzette tegen de politieke en

independent churches signalled a reaction against missionary dominance. Emilio Mulolani Chishimba, an intelligent ex-seminarian, started the Mutima Church, while Alice Lenshina Mulenga, a married woman of the Presbyterian Church, claimed to have received a special message for Africans and established the Lumpa Church. Political and religious disagreements between the latter church and Dr Kenneth Kaunda's United National Independence Party led to bloody clashes and a civil war in the months prior to independence. Most Lumpa followers fled to neighbouring Congo, where they settled.

One of the lessons drawn from the subsequent enquiry was the need to strive for greater ecumenical collaboration and more tolerance between the competing missionary societies.

The 1970s and 1980s

The 1970s were very creative years. A new generation of missionaries enthusiastically applied the decrees and constitutions of the Second Vatican Council. A common syllabus of religious education was introduced in all schools, up to university level. There was close collaboration among the mainstream churches in the fields of communication and health, and scores of new secondary faith-schools were built and staffed by competent teaching congregations assisted by young volunteers from abroad. Within one decade, almost the entire College of Bishops had been Zambianised. The beginning of the women's liberation movement from around 1975 made the Religious Sisters more articulate and aware of their status. Catechists and evangelists were adequately trained in newly established centres. Wider participation in church affairs came through the parish and church councils, based on fledgling Small Christian Communities, while liturgical ceremonies were made more lively and appealing, mainly thanks to the singing and dancing of traditional church hymns as adapted by local artists.

Rural development and health care came through the establishment of co-operatives and consumer societies and the building of numerous under-five clinics in the most remote areas of the country. Sponsored by the government, these institutions were also enthusiastically carried forward by expatriate and local personnel of the Catholic Church.

In 1973 Emmanuel Milingo, the young Archbishop of Lusaka, initiated the much needed ministry of faith healing and, in an attempt to boost church leadership, the College of Bishops applied to Rome for a special dispensation allowing married clergy.

As in other parts of the world, the 1980s proved to be a period of disappointments. The Catholic Church experienced a backlash, mainly

religieuze denkbeelden van Kaunda's United National Independence Party (UNIP). De geschillen leidden kort voor de onafhankelijkheid in het noorden tot een burgeroorlog. Na bloedige gevechten tussen de Lumpa-aanhangers en het leger, vluchtten de meeste van Lenshina's volgelingen naar buurland Kongo, waar ze zich uiteindelijk vestigden.

De regering stelde een onderzoekscommissie in, en het rapport van de commissie bevatte de aanbeveling dit soort conflicten in de toekomst te voorkomen door nauwere oecumenische samenwerking, en een grotere tolerantie tussen de concurrerende missie- en zendingsgenootschappen.

De jaren zeventig en tachtig

De jaren zeventig toonden veel creativiteit op kerkelijk terrein. Een nieuwe generatie van missionarissen ging enthousiast aan de slag met de verordeningen en aanbevelingen van het Tweede Vaticaans Concilie. De kerken stelden een gemeenschappelijke syllabus voor het godsdienstonderwijs vast die in het hele onderwijs werd ingevoerd, inclusief het hoger onderwijs. De 'gevestigde kerken' werkten nauw samen op de terreinen van communicatie, media en de gezondheidszorg. Ook stichtten de kerken tal van nieuwe middelbare scholen, geleid door deskundig kader, dat door jonge buitenlandse vrijwilligers werd bijgestaan.

Aan het eind van dit decennium bestond het college van bisschoppen bijna geheel uit Zambianen. De vrouwen-bevrijdingsbeweging roerde zich sterk in deze periode, en maakte ook de vrouwelijke religieuzen mondiger en bewuster van hun positie. Er werden centra gestart voor de opleiding van catecheten en evangelisten. De opkomst van basisgemeenschappen binnen de katholieke kerk stimuleerde de vorming van bestuursraden voor plaatselijke gemeenten en hun koepels, hetgeen de participatie van onderop vergrootte. De kerkdiensten en andere liturgische bijeenkomsten werden levendiger, dankzij lokale artiesten die traditionele kerkliederen aanpasten voor samenzang en dans.

De kerk zette zich ook in voor plattelandsontwikkeling en vormeden coöperaties en consumentenorganisaties. In afgelegen gebieden zette de kerk veel klinieken voor moeder-en-kindzorg op. Alhoewel al deze activiteiten door de regering financieel ondersteund werden, dreef het werk vooral op het enthousiasme van buitenlands en plaatselijk personeel van de katholieke kerk.

In 1973 begon Emmanuel Milingo, de jonge aartsbisschop van Lusaka, met zijn bijeenkomsten voor geloofsgenezing, waarmee hij in een grote behoefte voorzag. In een poging om meer kerkleiders te krijgen vroeg het college van bisschoppen 'Rome' om ontheffing van het celi-

from the Curia in the Vatican, which had not been reformed by the decrees of the Vatican Council. A married clergy was ruled out and the ministry of the church had to remain in the hands of a celibate priesthood.

In the early 1970s, the one-party state had been introduced by President Kaunda. The Catholic Church had at first actively supported the idea, but now came to deeply regret its collaboration. The ministry of Archbishop Milingo, initially very promising, lost momentum when the Archbishop was appointed to Rome, and the Catholic Church in Zambia became deeply divided. This division became institutionalised by the emergence of numerous lay movements, from charismatic to liberal. Although this made the Church more colourful and opened the gates to a great deal of personal initiative, it did little to democratise the structures of the Catholic Church itself. By then, the inflow of expatriate missionary personnel had become a small trickle and Church leaders were mainly occupied in handing over parishes and targeting their resources at the training of their own members.

The emergence of HIV/AIDS also did much to change the situation. The emphasis now was not so much on a young and self-supporting church, but on communities that needed medical care and health support first of all.

The 1990s: care and justice

The focus on care became stronger during the 1990s, with Religious Sisters and Catholic women playing an especially important role. With the help of international bodies and competent expatriate doctors, they made use of established Small Christian Communities to introduce Home Based Care programmes, Movements for Behavioural Change, and even Open Community Schools for the poor. The Catholic Church shifted from its previous preoccupation with hierarchical structures to an emphasis on immediate care for the poor and suffering, an approach inspired by the parable of the Good Samaritan.

This period also saw the introduction of new teachings on social justice by the Church. Supported by the Jesuits' Centre of Theological Reflection, the Catholic Secretariat became well versed in socio-economic matters vis-à-vis the liberal and market-oriented policies of the government of Dr Chiluba. A welcome spin-off of this development was that it helped empower many Church workers to bypass the growing dominance of the Vatican in doctrinal matters and to move towards increased freedom of speech and action, as expressed in the slogan 'Option for the Poor'.

In 1991 the Catholic Church celebrated its first centenary in Zambia. Membership was estimated at around 20 per cent of the population and

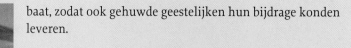

baat, zodat ook gehuwde geestelijken hun bijdrage konden leveren.

Toen kwamen de jaren tachtig: de jaren van teleurstelling. De Curie in het Vaticaan was buiten de decreten en vernieuwingen van het Tweede Vaticaans Concilie gebleven en verzette zich nu tegen alle 'nieuwlichterij'. Het huwelijk bleef voor geestelijken verboden terrein en de bediening van woord en sacrament bleef voorbehouden aan celibatair levende priesters.

Begin jaren zeventig had president Kaunda de éénpartijstaat ingevoerd. De katholieke kerk had dit idee aanvankelijk actief gesteund, maar kreeg hier nu diepe spijt van. Het werk van aartsbisschop Milingo, dat zo veelbelovend begonnen was, verloor zijn momentum toen Milingo in Rome benoemd werd. Na zijn vertrek ontstond een diepe scheuring binnen de kerk in Zambia. Deze kreeg een institutioneel karakter door de opkomst van veel lekenbewegingen, variërend van charismatisch tot vrijzinnig. De bewegingen gaven de kerk veel kleur, en boden veel mensen de gelegenheid zich creatief en met initiatief uit te leven. Ze hadden echter nauwelijks invloed op de ondemocratische structuren van de kerk zelf. Rond die tijd was de toestroom van buitenlandse priesters nog maar minimaal en hield de leiding van de kerk zich vooral bezig met het overdragen van kerkelijke gemeenten aan plaatselijke geestelijken, en met het trainen van hun eigen leden.

De problemen rond HIV/aids droegen ook bij aan de verandering binnen de kerk. De aandacht werd nu vooral gelegd bij gemeenschappen die allereerst zorg en medische hulp nodig hadden en minder op de versterking van een jonge, zelfvoorzienende kerk.

De jaren negentig: zorg en gerechtigheid

Gedurende de jaren negentig kreeg de zorg steeds meer nadruk, waarbij religieuze zusters en katholieke vrouwen een belangrijke rol speelden. Met de hulp van internationale organisaties en goede buitenlandse artsen werden in christelijke basisgemeenschappen programma's voor thuiszorg, organisaties voor gedragsverandering, en zelfs open gemeenschapsscholen voor de armen gestart. De kerk hield zich nu minder bezig met hiërarchische structuren en meer met de onmiddellijke zorg voor de arme en noodlijdende medemens, daarbij geïnspireerd door de gelijkenis van de Barmhartige Samaritaan.

In deze periode introduceerde de kerk ook een nieuwe leer met betrekking tot sociale gerechtigheid. Met steun van het Centrum voor Theologische Reflectie van de Jezuïeten raakte het Katholieke Secretariaat goed ingevoerd in zowel de sociaal-economische thema's, als het liberale, op de vrije markt georiënteerde beleid van de regering

the Church was described as 'Mother of the Nation'. By then, the momentum of work and policy-making had gravitated to local people, clergy and lay people alike. These thanked the missionaries for the work they had accomplished, but not without criticising the way they had approached local cultures and modalities of thought. The African Synod in 1994 at Rome produced a clear manifesto for the new Millennium. The Synod was marked by genuine soul-searching. In the process, the missionaries were invited by the African bishops to stay on as 'grandparents' in order to help assist the people materially and spiritually.

Challenges

The Catholic Church may be may be seen by many Zambians as an integral part of the nation, yet a number of questions and problems remain hidden under the surface. Various 'Justice and Peace teams' are very active at all levels, but are their activities clearly underpinned by a strong ideology, based on core Christian thinking? Have the Church's teachings on justice and on Christian service entered the realm of parish catechisers?

It is said that sexuality remains the Achilles heel of the Catholic Church at large. Are difficulties in this respect, especially among local church leaders, too often swept under the ecclesiastical carpet? Of Zambia's population, 75 per cent are under 30 years of age. Are the young really well represented in the governance of the Catholic Church, or are they mainly seen as objects of care vis-à-vis the danger of contracting aids?

Yet, this 'Mother of the Nation', to whom (as the Zambian proverb says) you can always run back in times of trouble, has many attractive talents and qualities. It remains a steady and experienced force in the often volatile conditions of a young nation. The Catholic Church is well structured, not least in terms of its administration. This is an achievement in a country where birth registration data and other archival materials often disappear. The schools managed by the Catholic agencies record good results and are often over-subscribed. Catholic Church leaders are felt to be tolerant, and, together with leaders of the other churches, and with the millions of Christians in their congregations, they may well have contributed to the fact that peace and harmony have reigned almost continuously in Zambia for nearly four decades since independence.

Chiluba. Deze ontwikkeling had een gunstig neveneffect: zij stimuleerde veel kerkelijke medewerkers om de groeiende invloed van het Vaticaan terzijde te schuiven, en het recht op vrije meningsuiting en sociale actie op te eisen, zoals samengevat in de slogan: 'Kiezen voor de Armen'.

In 1991 vierde de katholieke kerk in Zambia haar honderdste verjaardag. Naar schatting 20 procent van de bevolking was lid, en de kerk werd omschreven als 'moeder van de natie'. Rond die tijd lag het zwaartepunt van beleid en werk al bij Zambiaanse leken en clerus. Zij bedankten weliswaar de missionarissen voor al het werk dat zij hadden verzet, maar uitten ook kritiek op de wijze waarop men de lokale culturen en denkwijzen veronachtzaamd had.

De Afrikaanse synode, in 1994 te Rome gehouden, publiceerde een duidelijk manifest voor het nieuwe millennium. Deze synode leidde tot een wezenlijk proces van kritische zelfreflectie onder de Afrikaanse bisschoppen. Ook werden de missionarissen uitgenodigd om als 'grootouders' betrokken te blijven bij de materiële en geestelijke steun aan de bevolking.

Uitdagingen

De katholieke kerk mag dan door veel Zambianen gezien worden als een wezenlijk onderdeel van de natie, toch blijven veel vragen en problemen onder de oppervlakte verborgen. Allerlei 'Justice and peace teams' zijn op diverse niveaus actief, maar de vraag is of zij wel geleid worden door een sterke 'ideologie', die gebaseerd is op de kern van het christelijk gedachtengoed. Hebben de lokale catecheten zich de christelijke leer van gerechtigheid en dienstbaarheid werkelijk eigen gemaakt?

Seksualiteit wordt wel gezien als de achilleshiel van de katholieke kerk. Worden de problemen die de lokale kerkleiders hiermee hebben niet al te vaak onder het kerkelijke vloerkleed geveegd? Van de Zambiaanse bevolking is naar schatting 75 procent jonger dan dertig jaar. Worden deze jongeren echt betrokken bij het beleid van de kerk? Of worden ze vooral beschouwd als objecten van zorg gezien de verspreiding van HIV/aids?

Desondanks heeft deze 'moeder van de natie', bij wie je (volgens het Zambiaanse spreekwoord) bij problemen altijd weer terecht kunt, vele aantrekkelijke talenten en kwaliteiten. De kerk is een rustige en ervaren krachtbron temidden van de wisselvalligheden in het leven van een jonge natie. De katholieke kerk heeft een stevige structuur, vooral ook op administratief terrein. Dat zegt iets in een land waar geboortegegevens en ander archiefmateriaal vaak zoekraakt. De door katholieke instanties gerunde scholen behalen goede resultaten, en hebben

zelfs wachtlijsten. Katholieke kerkleiders worden over het algemeen als tolerant gezien. Samen met de leiders van andere kerkgenootschappen, en met de miljoenen christenen in het land, hebben ze waarschijnlijk bijgedragen aan de vrede en harmonie die Zambia bijna al die veertig jaren van haar bestaan gekenmerkt hebben.

103

■ *1996. Sisters of a religious order selecting maize seed for the next season.*
Northern Province.
Zusters van een religieuze orde selecteren maïszaad voor het volgende seizoen.

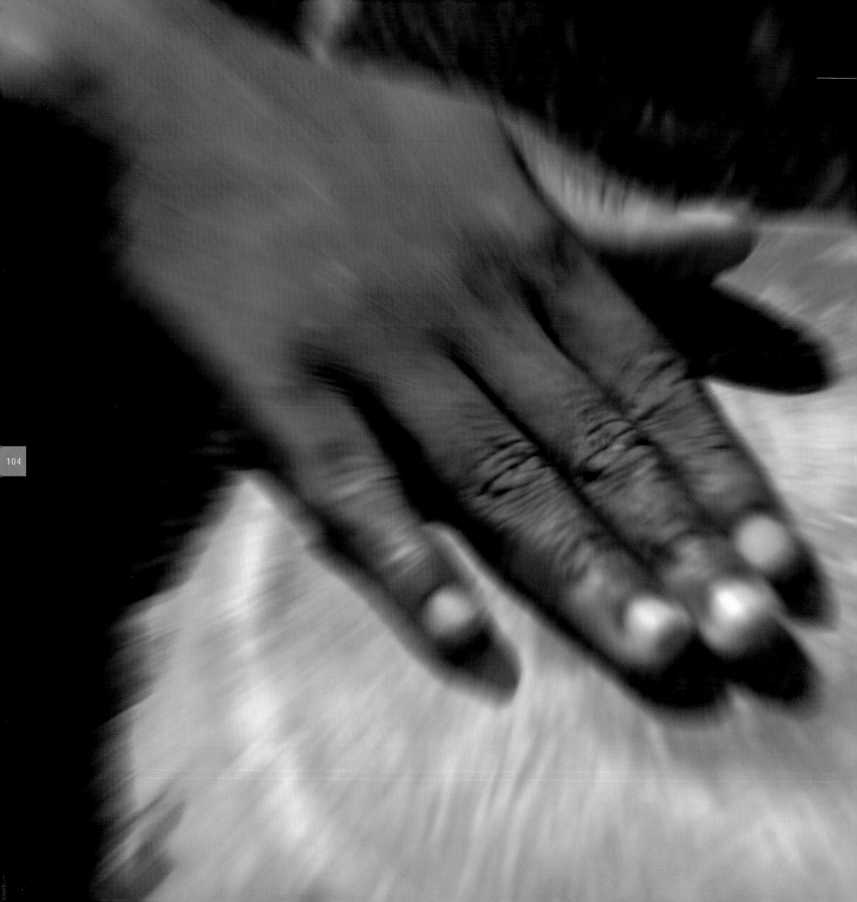

Music
Muziek

Michael Baird

106

■ 1999. The Zambian group Distro Kuomboka on tour in the Netherlands.
De Zambiaanse groep Distro Kuomboka op tournee in Nederland.

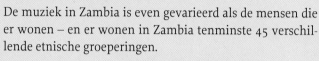

A tour d'horizon

Music in Zambia is as diverse as the peoples who live within its borders – and there are at least 45 distinctive ethnic groups.

A great musical zone, known as the Chokwe/ Lunda/ Luba/ Bemba belt, stretches from northeastern Angola to the southern tip of Lake Tanganyika. Here the harmony is in thirds rather than in fourths, as it is in most of the rest of Zambia. So the Lunda, who are based around the Mwinilunga District in northwestern Zambia, the Kaonde, a Luba people, who live as far south as Kasempa District in Northwestern Province, the Seba in the Copperbelt, the Aushi in Luapula Province, and the Bemba in the far north down to Kasama District, all produce music that is harmonically related.

The Bemba language zone comprises many different peoples, including the Lungu and the Bisa in Northern Province, the Lamba in Copperbelt Province, the Lala in Central Province and the Kunda in Eastern Province. However, the Lala and the Kunda do not use harmonic thirds but fourths, so the language zone does not match the musical zone.

Eastern Zambia is home to the Tumbuka, who occupy an area east of the Luangwa Valley up to the shores of Lake Malawi. Their music was profoundly influenced by the Nguni who conquered the area around 1855, while fleeing the Zulu king Shaka's maelstrom of violence. The Nguni introduced a regimental male singing style and the *kubu* musical bow, which is a descendant of the Nguni *ugubhu* bow. The Chewa people, also of eastern Zambia, experienced similar Nguni influence and intermarried with the Nguni invaders. Like the Tumbuka, the Chewa area of occupation extends across Zambia and Malawi.

Between Katete and Chipata in the extreme southeastern corner of Zambia, live the Ngoni – the only Nguni group which has retained its original culture and music. Their neighbours, the Nsenga in the Petauke District, have been influenced musically by the Ngoni, the Chewa and also the Sena from the Zambezi Valley in Mozambique.

The south of Zambia is largely Tonga country. A distinction is made between the Valley Tonga, the original Tonga people of the Gwembe Valley, who lived on either side of the Zambezi until 1958 when the dam at Kariba Gorge disrupted their way of life, and the Plateau Tonga, descendants of those Valley Tonga who over the centuries gradually moved up the escarpment and out of the valley. So 'deep' Tonga music is to be found down in the valley, where the *budima* is performed by as many as a hundred participants. Despite this distinction, however, the Valley and Plateau Tonga share the same language and culture. West of the so-called 'line of rail' in Southern Province, towards the Kafue

Een 'tour d'horizon'

De muziek in Zambia is even gevarieerd als de mensen die er wonen – en er wonen in Zambia tenminste 45 verschillende etnische groeperingen.

Een groot muziekgebied, bekend als de Chokwe/Lunda/ Luba/ Bemba-gordel, loopt van noordoost Angola tot aan het zuidelijke puntje van het Tanganyika meer. Hier worden harmonische tertsen gebruikt, in plaats van kwarten zoals in het grootste deel van Zambia het geval is. Dit betekent dat de Lunda, die in het Mwinilunga district in het noordwesten van Zambia wonen, de Kaonde, een Luba stam uit het Kasempa district in het zuiden van de *Northwestern Province*, de Seba in de *Copperbelt Province*, de Aushi in de *Luapula Province* en de Bemba uit het verre noorden tot aan het Kasama district, allemaal muziek produceren die harmonisch verwant is.

Het Bemba taalgebied bestaat uit veel verschillende stammen, met inbegrip van de Lungu en de Bisa in de *Northern Province*, de Lamba in de Copperbelt Province, de Lala in de *Central Province* en de Kunda in de *Eastern Province*. De Lala en de Kunda gebruiken echter geen harmonische tertsen, maar kwarten. De taalzone valt dus niet gelijk met de muzikale zone.

Oostelijk Zambia is het thuisland van de Tumbuka. Zij wonen in een gebied dat zich uitstrekt ten oosten van de Luangwa Valley tot aan de oevers van het Malawi meer. Hun muziek werd diepgaand beïnvloed door de Nguni die dit gebied in 1855 veroverden toen zij op de vlucht waren voor de maalstroom van wreedheden van Zulu-koning Shaka. De Nguni introduceerden een uniforme mannelijke zangstijl en het *kubu* booginstrument, dat weer afkomstig is van het Nguni *ugubhu* booginstrument. De Chewa, die ook uit oost Zambia afkomstig zijn, ondervonden een soortgelijke Nguni invloed en vermengden zich door huwelijken met de Nguni indringers. Net als bij de Tumbuka, strekt het Chewa gebied zich uit over Zambia en Malawi.

Tussen Katete en Chipata in de uiterste zuidoosthoek van Zambia wonen de Ngoni – de enige Nguni groep die zijn oorspronkelijke cultuur en muziek heeft weten te behouden. Hun buren, de Nsenga uit het Petauke district, werden muzikaal beïnvloed door de Ngoni, de Chewa en ook door de Sena uit de Zambezi vallei in Mozambique.

Het zuiden van Zambia is voor een groot deel Tonga-land. Er wordt verschil gemaakt tussen de Vallei-Tonga en de Plateau-Tonga. De Vallei-Tonga waren de oorspronkelijke Tonga uit de Gwembe vallei, die tot 1958 – toen de Kariba dam hun leven verstoorde – aan beide kanten van de Zambezi woonden. De Plateau-Tonga waren afstammelingen van de Vallei-Tonga die in enkele eeuwen langzaam uit de vallei naar

107

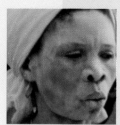

flatlands, live the Ila, who speak a Tonga language and are great drum-makers. The area around Victoria Falls is occupied by the Tokoleya who speak a Lozi language. Their music is influenced by both the Tonga and the Lozi: like the Lozi they play the xylophone, an instrument which the Tonga do not use.

Moving westwards up from Livingstone into Western Province, the language zone becomes Lozi, which is related to the Sotho language spoken in South Africa and Lesotho. The Lozi, Mbunda and Luyana peoples in the greater Mongu District all play music that is closely related. To their north, in the extreme northwestern corner of Zambia, live the Luvale, whose music is influenced by both their Chokwe neighbours in Angola and their Lunda neighbours to the east. The Luchazi, who live to the south of Mwinilunga District, are related to the Mbunda.

The advent of 'modern' music

This summary of Zambian peoples according to ethnic group and/or linguistic family serves as a brief introduction to the different types of music and cultural backgrounds in the country. However, within the modern borders of Zambia, which were established by the European powers during the 'scramble for Africa', there has been a great deal of economic migration, most notably to the Copperbelt whose mines have attracted men from all over the country. This population movement occurred from the 1940s onwards and produced the beginnings of 'modern' Zambian music. Places like Lusaka and Livingstone also drew a wide range of people: in Lusaka there are many Bemba and Chewa, while Livingstone is home to a large Luvale community as well as many Lozi.

■ *Short Mazabuka and his son Steven. Chipepo, Southern Province. On/op CD SWP 019.*
Short Mazabuka en zijn zoon Steven. (1)

■ *2002. The Haachanga Squad. Haachanga village, Southern Province. On/op CD SWP 019.*
De Haachanga Squad. (2)

■ *1996. Michael Baird recording kankowela player Jairos Siachindya, Siabiswi village near Mwaamba in Southern Province. On/op CD SWP 005.*
Michael Baird neemt kankowela-bespeler Jairos Siachindya op. (3)

■ *1996. Guitarist/songwriter Langston Ngandu and friends. Mapenzi village near Livingstone. On/op CDs SWP 005 & SWP 019. Gitarist/tekstschrijver Langston Ngandu en vrienden. (4)*

■ *2002. A star of the future? A twelve-year-old Tonga boy with home-made 'banjo' on the roadside. Munyumbwe village, Southern Province. Een toekomstige ster? Een 12-jarige Tonga jongen met zelfgemaakte 'banjo' langs de weg. (5)*

de hoogvlakte trokken. 'Diepe' Tonga muziek vind je daarom beneden in de vallei, waar de *budima* door wel honderd deelnemers tegelijk uitgevoerd wordt. Ondanks dit verschil, delen de Vallei- en Plateau-Tonga dezelfde cultuur en muziek. Ten westen van de zogenoemde *'line-of-rail'* in de *Southern Province*, in de richting van de Kafue vlakte, wonen de Ila, die een Tonga-taal spreken en fantastische drumbouwers zijn. Het gebied rond de Victoria Watervallen wordt bewoond door de Tokoleya die een Lozi-taal spreken. Hun muziek is zowel door de Tonga als de Lozi beïnvloed. Net als de Lozi spelen zij op de xylofoon, een instrument dat niet door de Tonga gebruikt wordt.

Vanuit Livingstone westwaarts omhoog trekkend de *Western Province* in, wordt het taalgebied Lozi, dat verwant is met de Sotho-taal die ook in Zuid-Afrika en Lesotho gesproken wordt. De Lozi, Mbunda en de Luyana stammen in het Mongu district spelen allemaal muziek die nauw met elkaar verwant is. Ten noorden van dit gebied, in de uiterste noordwesthoek van Zambia, wonen de Luvale, wier muziek is beïnvloed door zowel hun Chokwe-buren in Angola als door hun Lunda-buren ten oosten van hen. De Luchazi, die ten zuiden van het Mwinilunga district wonen, zijn verwant met de Mbunda.

De opkomst van de 'moderne' muziek

De samenvatting van Zambiaanse stammen ingedeeld volgens hun etnische groepering en / of taalkundige familie dient als een inleiding naar de verschillende soorten muziek en culturele achtergronden in het land. Binnen de moderne grenzen van Zambia, die door de Europese grootmachten tijdens 'de opdeling van Afrika' vastgelegd werden, heeft veel binnenlandse migratie plaatsgevonden. Vooral de Copperbelt trok uit het hele land veel mensen aan. Deze migratie vond plaats vanaf 1940 en stond aan de wieg van de 'moderne' Zambiaanse muziek. Steden als Lusaka en Livingstone trokken ook veel soorten mensen aan: in Lusaka wonen veel Bemba en Chewa, terwijl Livingstone een thuis is voor een grote Luvale- en Lozi-gemeenschap.

Zambia's eerste echte muziekster was zanger en tekstschrijver Alick Nkhata, die in de vroege jaren zestig als gitarist bij de Lusaka Radio Band beroemd werd. In het begin van de jaren zeventig werd Nashil Pitchen Kazembe Zambia's eerste ster van de electrische muziek. Hij maakte de weg vrij voor de ontwikkeling van elektrische Zambiaanse stijlen uit de Luapula en de noordelijke provincies, zoals de nfunkutu en kalindula, die gebaseerd zijn op traditionele ritmes met dezelfde namen. Hoewel akoestische gitaarmuziek met het 6/8 kalindula ritme al tijdens de jaren vijftig door Aushi gitarist Stephen Tsotsi Kasumali gespeeld werd, danste Zambia pas in de jaren tachtig op elektrische kalindula muziek van eigen bodem. Het prachtige gitaarspel van Alfred

109

Zambia's first true music star was singer and songwriter Alick Nkhata, who rose to fame in the early 1960s strumming his guitar with the Lusaka Radio Band. During the early 1970s Nashil Pitchen Kazembe became Zambia's first electric star, pioneering the way for the development of electric Zambian styles from Luapula Province and Northern Province, such as *nfunkutu*, and *kalindula*, which are based on traditional rhythms of the same name. Although acoustic guitar music with the 6/8 kalindula beat was already being played by Aushi guitarist Stephen Tsotsi Kasumali during the 1950s, it was during the 1980s that Zambia danced to home-grown electric kalindula music. The exquisite guitar of Alfred Chisala Kalusha reigned supreme, Amayenge performed in Europe, and an army band called Green Labels created a powerful sound that combined Lozi traditions with electric instruments. Then *rumba* from Zaire gradually ousted the local modern styles, as in Tanzania, Kenya and other African countries; midway through the 1990s nobody in Zambia played kalindula any more. Rumba blared from every street corner, or a Zambian copy of *reggae*, or Deddy Zemus, Zambia's answer to Shabba Ranks. Although the music produced by the band Burning Youth was very good, it sounded too much like The Police.

Apparently no-one was playing typically Zambian music anymore. While Zaire, Zimbabwe and economic powerhouse South Africa were exporting music, Zambia had ground to a halt. Today Mondo Records in Lusaka is the main producer of Zambian pop, and is trying to break into the South African market. Mondo Records has also released some interesting compilations of Zambian music from the 1980s.

Preserve your heritage
Regional migration and urbanisation has resulted in a steady loss of traditional music in Zambia. All the peoples of Zambia used to play their own representative of the thumb-piano family, known under various names, such as *kankobela* (Tonga), *kathandi* (Mbunda), *kangombio* (Lozi), *chisanzhi* (Lunda), *kankowele* (Lala), *chilimba* (Bemba) and *kalimba* (Tumbuka, Chewa). The beautiful tinkling music produced by this instrument is slowly dying out, as young people prefer the guitar. The Valley Tonga still play the *kalumbu* musical bow, but this too is disappearing fast. The bangwe *board* zither, once used by Tumbuka and Chewa minstrels, can no longer be found.

Musical heritage is being lost at an alarming rate in Zambia, as in so many central and southern African countries. Although folk music constantly evolves, absorbing outside influences, the speed with which musical traditions are disappearing in this part of the world is a tragedy. First the missionaries forbade the 'devil's music', then colonial societies arrogantly classed the music as 'primitive'. During the post-colonial

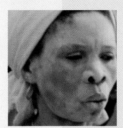

Chisala Kalusha stak boven alles uit, Amayenge trad in Europa op, en een legerband, de Green Labels genaamd, creëerde een krachtig geluid dat Lozi traties met elektrische instrumenten combineerde. Daarna verdrong de *rumba* uit Zaïre langzamerhand de lokale moderne stijlen, zoals dat ook in Tanzania, Kenia en andere Afrikaanse landen gebeurde. In het midden van de jaren negentig speelde niemand in Zambia meer kalindula muziek. Rumba schalde van iedere straathoek of een Zambiaanse kopie van *reggae*, of Deddy Zemus, Zambia's antwoord op Shabba Ranks. En hoewel de muziek die door de Burning Youth werd geproduceerd erg goed was, klonk het te veel zoals The Police.

Kennelijk speelde niemand meer typische Zambiaanse muziek. Terwijl Zaïre, Zimbabwe en de economische 'krachtcentrale' Zuid-Afrika muziek exporteerden, was de inheemse muziek in Zambia tot stilstand gekomen. Vandaag de dag is Mondo Records in Lusaka de voornaamste producent van Zambiaanse popmuziek die ook op de Zuid-Afrikaanse markt vaste voet aan wal probeert te krijgen. Mondo Records heeft ook enkele interessante verzamelingen van Zambiaanse muziek uit de jaren tachtig uitgebracht.

Pas op je erfgoed
Regionale migratie en de verstedelijking hebben voor een constante achteruitgang van de traditionele muziek in Zambia gezorgd. Alle Zambiaanse stammen speelden hun eigen versie van de duimpiano-familie, die onder verschillende namen bekend stond, zoals de *kankobela* (Tonga), *kathandi* (Mbunda), *kangombio* (Lozi), *chisanzhi* (Lunda), *kankowele* (Lala), *chilimba* (Bemba) en *kalimba* (Tumbuka, Chewa). Het mooie tinkelende geluid van dit instrument sterft een langzame dood omdat de jeugd de gitaar prefereert. De Vallei-Tonga bespelen nog steeds het *kalumbu* booginstrument, maar ook dit is snel aan het verdwijnen. De *bangwe* bordciter die ooit door de Tumbuka en Chewa minstrelen werd gebruikt, kom je niet meer tegen.

Zoals in zoveel centraal en zuidelijk Afrikaanse landen verdwijnt het muzikale erfgoed in Zambia in een schrikbarend tempo. Ofschoon volksmuziek zich steeds ontwikkelt door het absorberen van invloeden van buiten, is de snelheid waarmee de muzikale traities in dit deel van de wereld verloren gaan, een tragedie. Eerst werd de 'muziek van de duivel' door de missionarissen verboden, toen classificeerde de koloniale maatschappijen op hun arrogante manier, de muziek als 'primitief'. Tijdens de postkoloniale periode was in overheidskringen niemand geïnteresseerd in traditionele cultuur, omdat men alles wat 'Westers' was als superieur beschouwde. De huidige vloedgolf aan wereldomvattend cultureel imperialisme zorgt ervoor, dat de hele Zambiaanse

■ *1981. Mr. Sakala playing the thumb piano. Nyanje Primary School, Eastern Province.*
Meneer Sakala bespeelt de duimpiano.

period no-one in government circles was interested in traditional culture, regarding everything 'Western' as superior. The current flood of global cultural imperialism has Zambian youngsters all watching American gangster rap videos.

Zambian musicians should look to their very rich musical roots for inspiration, instead of endeavouring to imitate imported styles. There is so much musical talent and feeling in Zambia, we are just waiting for it to take off.

jeugd gekluisterd zit voor Amerikaanse gangster rap video's.

Zambiaanse muzikanten zouden voor inspiratie naar hun eigen, erg rijke muzikale wortels moeten kijken, in plaats van te proberen geïmporteerde stijlen te imiteren. Er is zoveel muzikaal talent en gevoel in Zambia, wij wachten met spanning op het moment dat het van de grond komt.

Recommended CDs /aanbevolen CD's:

Arion	ARN 58413	*La Voix des Masques de Zambie*
Teal Record Co.	CDORB 037	*Zambience*
SWP Records	SWP 005	Batonga Across the Waters
SWP Records	SWP 010	Kalimba and Kalumbu Songs, Zambia 1952 - 57
SWP Records	SWP 015	Origins of Guitar Music, Congo and Zambia 1952 - 57
SWP Records	SWP 019	Zambia Roadside, Music from Southern Province
Mondo Records	MCPCD1B	Sounds of Zambia, Vol. 1
Mondo Records	MCPCD03	Sounds of Zambia, Vol. 2
Mosaique Vivant	MV 2000	*Toto Mitala by Distro Kuomboka*

left / links
▨ *Traditional Arts and Crafts Village, Livingstone.*

Page / pagina 114
▨ *1973. Chief with headdress and mantle. Northwestern Province.*
Chief met hoofdtooi en mantel. (1)

▨ *1968. Witch doctor / herbalist at work. For many ailments he knows a traditional cure. Kasempa District.*
Medicijnman aan het werk. Voor veel aandoeningen kent hij een traditioneel geneesmiddel. (2)

▨ *1966. Messengers posing for headquarters. Kasempa District.*
District messengers voor overheidskantoor. (3)

▨ *1980. Tourists enjoying an open air concert with drums, xylophone, and leg bells. Livingstone.*
Toeristen genieten van een openluchtconcert met onder meer drums, xylofoon, en beenbellen. (4)

▨ *1999. Chinamanombo ceremony, chief Kopa. Mpika District.*
De Chinamanombo ceremonie, chief Kopa. (5)

▨ *1980. Tourists are shown how a drum is made. Livingstone Traditional Arts & Crafts Village.*
Toeristen wordt getoond hoe men een drum maakt. (6)

Page / pagina 115
▨ *1998. Visitors at wedding party, amatobeto, are offered katobe, a traditional Bemba drink. Kalulushi.*
Gasten op een huwelijksfeest, amatobeto, krijgen katobe, een traditionele Bemba drank, aangeboden. (1)

▨ *1981. 'After this witch doctor had died, his son, on the left, asked me to take photographs. I left prints and negatives with him, but kept this picture.' Kashikishi village, Nchelenge District. 'Toen deze medicijnman gestorven was, vroeg zijn zoon, links, aan mij deze foto te maken. Ik gaf hem afdrukken en negatieven, en behield deze foto als herinnering.' (2)*

▨ *1980. Nsolo, a Zambian game of thought. In some areas it is only played by men, in others women also compete.*
Nsolo, een Afrikaans denkspel. In sommige streken wordt het spel uitsluitend door mannen gespeeld, maar elders vindt je ook vrouwelijke experts. (3)

▨ *1980. Playing records using bicycle power! Msoro.*
Een fietsdynamo houdt de platenspeler draaiend! (4)

▨ *1978. Installation of Chief Kamimbi. Mukunashi area, Kasempa District.*
Installatie van Chief Kamimbi. (5)

▨ *1968. Village headman Kalasa greeting visitors with a beautiful traditional greeting: 'Mutende mwana, Mwa kosa, Mwa kosa bingi!' 'Good day (peace). How are you? Do you feel strong?'. Kasempa District.*
Dorpshoofdman Kalasa begroet bezoekers met de gebruikelijke, mooie begroeting: 'Mutende mwana, Mwa kosa, Mwa kosa bingi!' 'Goedendag (vrede). Hoe maakt u het? Voelt u zich sterk?' (6)

▨ *1974. Paddlers of the royal barge, Kuomboka ceremony. Western Province.*
Roeiers van de koninklijke boot. (7)

Page / pagina 6

■ 1987. Portrait of a woman. Nyanje, Eastern Province.
Portret van een vrouw. (1)

■ 1995. A Zaïrean 'witch' at the Mutomboko ceremony in Mwansabombe. Rumour had it that she was hired to protect Senior Chief Mwata Kazembe from witchcraft ...
Een Zaïrese 'heks' tijdens de Mutomboko plechtigheden te Mwansabombe. Het gerucht ging dat ze was ingehuurd om Senior Chief Mwata Kazembe tegen hekserij te beschermen ... (2)

■ 1981. Installation of the new Chieftainess of Nyanje. Eastern Province.
De installatie van de nieuwe Chieftainess van Nyanje. (3)

■ 1973. Warthogs. Kafue National Park.
Wrattenzwijnen. (4)

■ 1974. Resting on the roadside. Kalabo.
Even uitrusten aan de kant van de weg. (5)

■ 1997. Draughts is a popular game. Often bottle tops serve as draughtsmen. Katete.
Er wordt veel gedamd, vaak met kroonkurken. (6)

Page / pagina 120

■ 1990. An ant hill as a gathering place. Ndola.
Een termietenheuvel als hangplek.

Photo's back cover

■ 1995. A Zaïrean 'witch' at the Mutomboko ceremony.
Een Zaïrese 'heks' tijdens de Mutomboko plechtigheden. (1)

■ 2002. Mixed farming couple (Dutch / Zambian). Kasempa District.
Gemengd boerenechtpaar, de man is van Nederlandse afkomst. (2)

■ 1968. Mother with child. Kasempa District.
Moeder met kind. (3)

■ 1987. Man. Nyanje, Eastern Province. (4)

■ 1999. Lukulu District Hospital on the banks of the Zambezi river uses a boat to transport patients to the hospital.
Het districtsziekenhuis te Lukulu aan de Zambezi gebruikt een boot om patiënten te vervoeren. (5)

■ 1966. Cattle farmer. Sala Reserve, Lusaka Rural District.
Veeboer. (6)

■ 1973. Participant in a school's oral history project. Mwinilunga Secondary School.
Informant bij een schoolproject gewijd aan orale geschiedenis. (7)

■ 1996. Toddler with mother or aunt. Lubwe.
Peuter met moeder of tante. (8)

■ 1987. Woman. Nyanje, Eastern Province.
Vrouw. (9)

Photo front cover

■ 1994. Nicky. Ndola.

Photo credits / Fotoverantwoording

Aarnink, Nettie 6/2, 45/6, back cover 1
Baird, Michael 66/3, 108
Bertels, Wil 42/1, 42/2, 42/3, 42/4, 49
Berg, Leo van den, & Aafke Huisman 65/6
Bogaard, Jo van den front cover
Bos, Corrie 16/1, 35/3, 65/7, 66/2, 90/2, back cover 6
Brouwer, Miranda 10, 16/2, 54/3, 54/4, 54/5
Camera Press 84/3
Draisma, Janica 6/1, 24/1, 24/6, 27/2, 35/2, 35/4, back cover 4, 9
Draisma, Tom 13, 16/4, 19/6, 65/2, 65/3, 65/5, 72, 80, 84/1
Federatie Nederlandse Vakverenigingen 30-31, 45/8, 66/5, 66/6
Fleumer, Bep 35/1
Goeje, Michiel de 27/1
Groot, Ronald de 98
Haan, Flip & Felice 20-21, 75/2, 75/4, 75/5, 75/6, 75/7, 88-89
Hinfelaar, Fiet 103
Hoff, John van 't 66/4
Houtman, Jannemieke 54/7, 114/5
Hovels, Anne & Tony Tompkins 115/1
Huxley, Joe 65/1
Israëls, Sita back cover 8
Jaeger, Dick 19/4, 22, 24/3, 24/4, 45/3, 45/4, 45/5, 54/2, 114/2, 114/3, 115/5, 115/6, back cover 2, 3
Knol, Henk & Sophia 6/3, 27/4, 111
Kort, Vera de 56, back cover 5
Kramer, Marleen & Hans Konig 32/3
Kramer, Reed & Tami Hultman 84/4
Krewinkel, Serf & Jet Vinken 120
Kruzinga, Ella 114/1, back cover 7
Laan, Renate van der 35/6
Lans, Nelke van der 44/1, 45/9
Lucas, Rob 3, 4, 6/6, 14, 16/5, 16/7, 19/2, 24/7, 27/3, 27/5, 27/6, 28, 39, 40-41, 45/2, 45/7, 45/10, 51, 52-53, 59, 60-61, 66/1, 68, 70-71, 75/1, 75/3, 76, 78-79, 86, 95, 96-97, 104-105, 112
Oudewater, Nicolien 24/8
Overvest, Jan 65/4
Panczel, Hanneke 19/5, 32/1, 32/2, 35/5, 54/6, 54/8, 54/9, 114/4, 114/6, 115/3, 115/4
Ruland, Sacha 106
Schulte, Ben & Joke Koot 24/5
Stone, Vaughan 84/2
Tinhout, André 115/2
Veldt, Con & Joke 32/4, 62, 83
Vergeest, Femke & Frank Zanderink 36
Vlaanderen, Wim 19/7
Wal, Jelske van der 6/4, 6/5, 16/3, 16/6, 19/1, 19/3, 24/2, 24/9, 35/5, 54/1, 115/7
World Council of Churches, Peter Williams 90/1, 90/3, 90/4, 93
Zanden, Elske van 35/7
Zwieten, Paul van 8-9, 46

Co-publishers / Co-uitgevers

Cordaid

Cordaid's work is aimed at sustainable poverty eradication in well over 40 countries in Africa, Asia, Latin-America, the Middle East, Central and Eastern Europe and in the Netherlands. Cordaid was formed in 1999 after a merger of the Catholic development organisations Memisa, Mensen in Nood and Bilance (Vastenaktie and Cebemo). The gospel and the Catholic doctrine based thereon is Cordaid's source of inspiration.

Cordaid

Cordaid werkt aan duurzame armoedebestrijding in ruim 40 landen in Afrika, Azië, Latijns-Amerika, het Midden-Oosten en Midden- en Oost-Europa. Per jaar wordt circa 150 miljoen euro besteed aan initiatieven in ontwikkelingslanden. Cordaid is in 1999 ontstaan door een fusie van de katholieke ontwik-kelingsorganisaties Memisa, Mensen in Nood en Bilance (Vastenaktie en Cebemo). Cordaids inspiratiebron wordt gevormd door het evangelie en de daarop gebaseerde katholieke sociale leer.

ICCO

ICCO, interchurch organisation for development co-operation, strives to reduce structural poverty in developing countries in the South. ICCO works towards a world with equal opportunities for everyone. ICCO funds projects run by partner organisations which encourage and enable people to organise their own lives sustainably, and in their own way. ICCO draws inspiration from the Christian tradition and does not distinguish between people, because everyone has the right to live in dignity.

ICCO

ICCO, interkerkelijke organisatie voor ontwikkelingssa-menwerking, werkt aan structurele armoedebestrijding in ontwikkelingslanden in het Zuiden. ICCO werkt aan een wereld met gelijke kansen voor iedereen. ICCO financiert projec-ten van partnerorganisaties die mensen stimuleren en in staat stellen hun leven zelf in te richten, duurzaam, en op hun eigen manier. ICCO is geïnspireerd door de Christelijke traditie en maakt geen onderscheid tussen mensen, want iedereen heeft recht op een mens-waardig bestaan.

NCDO

The National Committee for International Co-operation and Sustainable Development, NCDO, strives at enabling Dutch citizens to better contribute towards the realisa-tion of the Millennium goals of the United Nations. To that end
the NCDO works to co-ordinate their activities and to make their voices heard in public debates, and to strengthen their influence on the policy-makers.

NCDO

De Nationale Commissie voor Internationale Samenwerking en Duurzame Ontwikkeling wil Nederlandse wereldburgers beter in staat stellen een bij-drage te leveren aan de realisering van de mondiale doe-len uit de Milleniumverklaring van de Verenigde Naties. Daartoe wil de NCDO hun inbreng op het niveau van het maatschappelijk debat en het politieke beleid bundelen, versterken en zichtbaar maken.

Werkgroep Zambia (WgZ)

The WgZ, formed in 1979, is composed of volunteers most of whom have lived and worked in Zambia. The WgZ informs persons, libraries and other organisations about developments in Zambia, chiefly through its quarterly Zambia Nieuwsbrief. This periodical also serves as a platform for groups in the Netherlands maintaining contacts with persons and organisa-tions in Zambia. The WgZ responds to questions on Zambia. Occasionally the WgZ discusses relations between the Netherlands and Zambia with Dutch politicians and civil servants.

Werkgroep Zambia

De werkgroep is in 1979 opgericht en bestaat uit vrijwilligers die merendeels in Zambia gewerkt hebben. De werkgroep informeert personen, organisaties en bibliotheken over Zambia met het kwartaalblad Zambia Nieuwsbrief. Dit blad functioneert ook als platform voor lokale groepen met contacten in Zambia. De werkgroep beantwoordt vragen over Zambia. Af en toe spreekt de werkgroep met Nederlandse politici en ambtenaren.

117

About the authors

Michael Baird was born in Lusaka in 1954 and left Zambia in 1964. He now lives in the Netherlands and is an integral part of the European music scene as a drummer, composer and founder of his own independent record label, SWP Records (information on which can be found at www.swp-records.com). Michael has done extensive research at the International Library of African Music at Rhodes University in South Africa, produced an 18 CD series of Hugh Tracey's historic recordings of African music in the 1950s, and made field recordings in Zambia and Zimbabwe.

Leo van den Berg is a social geographer. From 1971 to 1977 he lectured at the University of Zambia, followed by three years at the University of Dar es Salaam. His PhD thesis, in English, examines the problems of the fast-growing city of Lusaka (<add university here>1984). From 1983 to 1998 his research at the Agricultural University of Wageningen focused on aspects of urbanising rural areas. At present Leo is a member of the Team for International Co-operation at the Alterra Research Institute for Green Spaces at Wageningen.

Miranda Brouwer is a medical doctor. She worked as a general medical officer in Our Lady's Hospital Chilonga, Mpika District, from 1994 to 1997. After her return to the Netherlands she specialised in tuberculosis control, and she now works for the Municipal Health Services in Tilburg. She is an active member of the Zambia Nieuwsbrief production team.

Jan Kees van Donge is a lecturer at the Institute of Social Studies in The Hague. From 1971 to 1978 he lectured at the University of Zambia. Since 1990 he has written on Zambian politics for the Zambia Nieuwsbrief, which helped provide him with material for two scholarly articles on the 1991 and 1996 elections in Zambia (an article on the 2001 election is in preparation). He has also written an annotated bibliography on Zambia for the World Biographical Series published by ABC/CLIO.

Tom Draisma is a storyteller. He taught maths at Munali School, Lusaka, from 1964 to 1969. Until March 1972 he led the Zambian liberation support group Africa 2000. In 1976 he researched the national debate on education. From 1978 to 1982 he regularly visited Zambia as Southern Africa secretary of ICCO. His PhD thesis (Amsterdam/Lusaka, 1987) is on education and development in Zambia. He has also published on the relationship between the EU and Southern Africa, and on the impact of the mining companies on the Zambian environment. For 13 years he was a half-time lecturer in Development Studies at Leiden University.

Bas de Gaay Fortman is professor in the Political Economy of Human Rights at Utrecht University. From 1967 to 1971 he was senior lecturer in Economics at the University of Zambia, and he was subsequently appointed professor at the Institute of Social Studies (ISS) in The Hague. He has been a member of the Dutch Parliament and later of the Senate. Among his publications are several devoted to Zambia, including After Mulungushi, The Economics of Zambian Humanism; Derde Wereld in Beweging, Bericht uit Zambia, and Onderweg genoteerd.

Flip de Haan is a teacher and consultant in Nature and Environmental Education for the Amsterdam City Council. In 1972 and 1973 he was manager of a Pyrethrum propagation nursery in Kenya for the Organisation of Netherlands Volunteers. Between 1978 and 1983 he worked in refugee settlements in Zambia, Ethiopia and Botswana for the Lutheran World Federation. Together with his wife, he co-ordinated the Werkgroep Zambia for many years. Since 2002 he has been a member of the advisory board of the HIVOS-Triodos fund, an agency financing micro-credits.

Hugo Hinfelaar is a missionary who arrived in Northern Rhodesia (Zambia) in 1958. After his experiences during the Lumpa uprising led by the prophetess Alice Lenshina in the north of the country, he decided to do research on the cultural and religious status of Bemba-speaking women. In 1989 he gained a PhD at the School of Oriental and African Studies, University of London. His thesis was published under the title Bemba-speaking Women in a Century of Religious Change. His recently completed History of the Catholic Church in Zambia,1895-1995 is to be published by Bookworld, Lusaka.

At Ipenburg is a freelance pastor and author. From January 2004 he will be working as a students' pastor at the University of Maastricht as well as being a minister of the Remonstrant Church. He studied Political Science, Theology and African History in Amsterdam, London, Leiden and Pretoria. From 1977 to 1980 he taught History at Kenneth Kaunda Secondary School, Chinsali. From 1982 to 1986 he worked at the Mindolo Ecumenical Foundation, Kitwe. His PhD thesis (London, 1991) is on the history of the church at Lubwa, Chinsali District. From 1995 to 2002 he lectured at the Theological University of Yayapura, West Papua, Indonesia, where he also headed the Department of Missiology.

Dick Jaeger is a social geographer. In the 1960s he led a team from the Organisation of Netherlands Volunteers working in the villages of Kasempa District, and he returned to the area to conduct research in 1972, 1978, and 1982. His PhD thesis (1981) is entitled Changing Settlement Patterns and Rural Development: A Human Geography of the Kasempa District. He has worked with the Royal Tropical Institute, Amsterdam, and with the Netherlands Organisation for Scientific Research (NWO), The Hague. After retirement, he visited Zambia again to research recent developments in rural areas.

Thera Rasing is a cultural anthropologist specialising in gender studies. Her research has focused on initiation rites for girls in Zambia, resulting in two books, including her PhD thesis The Bush Burnt, the Stones Remain: Female Initiation Rites in Urban Zambia (Rotterdam, 2001). At present she is attached to the Department of Culture, Health and Disease of the Leiden Medical Faculty and University Hospital. She recently conducted research into knowledge of HIV/AIDS among Zambian children and HIV/AIDS education in Zambian primary schools.

Other contributors

Ella Kruzinga has a degree in English, with a major in English Historical Linguistics. She is currently director of the European Association for Institutional Research in Amsterdam. Ella lived and worked in Zambia for five years, teaching typing, office practice and commerce at Mwinilunga Secondary School and at the Dominican Convent in Lusaka. After returning to the Netherlands she was one of the founders of the Werkgroep Zambia in 1979. For nearly 10 years she was active in various capacities in the Werkgroep Zambia and the Zambia Nieuwsbrief.

Rob Lucas is a graphics designer and photographer who is well-known for his portraits of men, women and children around the world. He has authored a number of photography books, among them: Later zal ik, Uitgesproken menselijk (Kiwanis-project), Ver-gezicht, (for St. Francis Hospital, Katete) and Alle mensen, (for Artsen zonder Grenzen). Rob has visited Zambia several times.

Tom Scott is a freelance writer, editor and university lecturer living in Cornwall, UK. After working as a volunteer teacher in Lesotho in the 1980s, he gained an MA in African Studies at the School of Oriental and African Studies, University of London. He currently teaches on the postgraduate Professional Writing programme at Falmouth College of Arts. He was our English conscience.

The Photo book committee

Miranda Brouwer, treasurer. Also co-editor-in-chief of the Zambia Nieuwsbrief and treasurer of the Werkgroep Zambia Foundation, formed in 2003.
Tom Draisma, initiator and co-ordinator of this book project and, with Ella Kruzinga, co-editor-in-chief.
Flip de Haan, member. Also secretary of the Werkgroep Zambia Foundation.
Dick Jaeger, member.
Ella Kruzinga, co-ordinated the translation for this book, and was, with Tom Draisma, co-editor-in-chief.

Over de auteurs

Michael Baird is musicus. Hij werd in Lusaka geboren en verliet Zambia in 1964. Hij woont in Nederland en is actief op de European music scene als drummer en componist. Hij is een zelfstandig uitgever van muziek, uitgebracht op het label SWP Records. Informatie daarover is te vinden op de site www.swp-records.com. Michael deed uitgebreid onderzoek in de International Library of African Music van Rhodes University in Zuid-Afrika, produceerde een serie van 18 CDs van Hugh Tracey's historische opnamen van Afrikaanse muziek uit de jaren vijftig, en nam meer recent in Zambia en Zimbabwe ook zelf muziek op 'in het veld'.

Leo van den Berg is sociaal-geograaf. Van 1971 tot en met 1977 doceerde hij aan de Universiteit van Zambia en daarna drie jaar aan de Universiteit van Dar es Salaam. Zijn Engelstalige proefschrift behandelt de groei en stadsrandproblematiek van Lusaka (1984). Aan de Landbouwuniversiteit Wageningen deed hij van 1983 tot 1998 onderzoek naar aspecten van verstedelijking op het platteland. Tegenwoordig is hij lid van het team Internationale Samenwerking van het Wageningse 'Alterra, research instituut voor de groene ruimte'. Hij werkt regelmatig samen met onderzoekers in het buitenland.

Miranda Brouwer is arts. Zij werkte van 1994 – 1997 als algemeen arts in Our Lady's Hospital Chilonga in het noorden van Zambia. Na terugkomst in Nederland specialiseerde ze zich tot arts tuberculosebestrijding en sinds 1999 werkt ze bij de GGD Hart voor Brabant in Tilburg. Ze is een actief lid van de werkgroep Zambia en werkt mee aan het maken van de Zambia Nieuwsbrief.

Jan Kees van Donge is docent aan het Institute of Social Studies in Den Haag. Hij werkte in de periode 1971-78 als docent aan de Universiteit van Zambia. Hij schrijft sinds 1990 voor de Zambia Nieuwsbrief over binnenlandse politiek. Dit heeft hem materiaal geleverd voor wetenschappelijke artikelen over de verkiezingen van 1991 en 1996. Een artikel over de verkiezingen van 2001 is in voorbereiding. Hij heeft ook een geannoteerde bibliografie over Zambia geschreven voor de World Bibliographic Series van ABC/CLIO.

Tom Draisma is verhalenverteller. Hij was leraar wiskunde aan Munali School, Lusaka, 1964-1969. Daarna leidde hij ruim twee jaar de Zambiaanse liberation support group 'Africa 2000'. In 1976 onderzocht hij het nationale onderwijsdebat. Van 1978 - 1981 bezocht hij Zambia meermalen in dienst van ICCO. Zijn dissertatie (Amsterdam/Lusaka, 1987) gaat over onderwijs en ontwikkeling in Zambia. Hij publiceerde ook over het EU-beleid ten opzichte van Zuidelijk Afrika, en over de effecten van mijnbouw op het milieu in Zambia. Hij was 13 jaar universitair docent ontwikkelingsproblematiek te Leiden, halftime.

Bas de Gaay Fortman is hoogleraar politieke economie van de rechten van de mens aan de Universiteit Utrecht. Van 1967 tot 1971 werkte hij als 'Senior Lecturer in Economics' aan de Universiteit van Zambia. Daarna is hij hoogleraar geworden aan het Institute of Social Studies (ISS) in Den Haag, en lid van de Tweede Kamer, later van de Eerste Kamer. Hij heeft een aantal publicaties over Zambia op zijn naam staan waaronder 'After Mulungushi, the Economics of Zambian Humanism', 'Derde wereld in beweging. Bericht uit Zambia' en 'Onderweg genoteerd ...'

Flip de Haan is educatief medewerker, natuur- en milieu-educatie te Amsterdam. In 1972 en 1973 was hij, voor de Stichting Nederlandse Vrijwilligers, bedrijfsleider op een Pyrethrum vermeerderingsbedrijf in Kenia. Tussen 1978 en 1983 heeft hij voor de Lutherse Wereld Federatie gewerkt in vluchtelingenkampen in Zambia, Ethiopië en Botswana. Samen met zijn vrouw coördineerde hij jarenlang de Werkgroep Zambia. Sinds 2002 is hij lid van de raad van toezicht van de stichting HIVOS-Triodos Fonds, een financieringsorganisatie die microkredieten verstrekt.

Hugo Hinfelaar is missionaris. Hij is al sinds 1958 werkzaam in Zambia, dat toen nog Noord-Rhodesië heette. Na zijn ervaringen in het noorden van het land tijdens de Lumpa-opstand geleid door de profetes Lenshina, besloot hij onderzoek te doen naar de culturele en religieuze status van Bembasprekende vrouwen. In 1989 behaalde hij zijn doctorsgraad aan de School of Oriental and African Studies, Universiteit van Londen. Zijn proefschrift heette 'Bemba-speaking Women in a Century of Religious Change'. Onlangs voltooide hij de 'History of the Catholic Church in Zambia, 1895 - 1995'. Het boek zal verschijnen bij Bookworld, Lusaka, Zambia.

At Ipenburg wordt vanaf januari 2004 studentenpastor aan de Universiteit te Maastricht. Hij studeerde politicologie, theologie en Afrikaanse geschiedenis in Amsterdam, Londen, Leiden en Pretoria. Van 1977 tot 1980 was hij leraar geschiedenis aan de Kenneth Kaunda middelbare school te Chinsali, Zambia. Van 1982 tot 1986 werkte hij bij de Mindolo Ecumenical Foundation, Kitwe. Zijn proefschrift behandelt de geschiedenis van de kerk van Lubwa, Chinsali, Zambia (Londen, 1991). Van 1995 tot 2002 was hij verbonden aan de theologische universiteit, Jayapura, West-Papua, Indonesië.

Dick Jaeger is sociaal-geograaf. In de jaren zestig werkte hij als SNV-teamleider in de dorpen van Kasempa District. Nadien is hij meermalen voor onderzoek teruggeweest in Zambia: in 1972, 1978, en 1982. De titel van zijn dissertatie is 'Changing Settlement Patterns and Rural Development. A Human Geography of the Kasempa District' (1981). Hij was werkzaam bij het Koninklijk Instituut voor de Tropen, Amsterdam, en later bij de Nederlandse Organisatie voor Wetenschappelijk Onderzoek te den Haag. Na zijn pensionering bezocht hij Zambia opnieuw, nu om onderzoek te doen naar recente ontwikkelingen op het platteland.

Thera Rasing is cultureel antropoloog en gespecialiseerd in gender studies. Zij verrichtte onderzoek naar initiatieriten voor meisjes in Zambia. Daarover schreef zij twee boeken, waaronder 'The Bush Burnt, the Stones Remain: Female initiation rites in urban Zambia', dissertatie Rotterdam, 2001. Momenteel is zij verbonden aan het Leids Universitair Medisch Centrum (LUMC), afdeling cultuur, gezondheid en ziekte. Onlangs deed zij onderzoek naar de kennis van HIV/AIDS bij kinderen en de voorlichting hierover op lagere scholen in Zambia.

Andere medewerkers

Ella Kruzinga heeft Engels gestudeerd, met als specialisatie Engelse historische linguïstiek Zij is directeur van de European Association for Institutional Research in Amsterdam. Ella heeft vijf jaar in Zambia gewoond en gewerkt. Zij gaf les in typen, kantoorpraktijk en handelskennis aan Mwinilunga Secondary School te Mwinilunga en aan de school van het Dominican Convent in Lusaka. Na haar terugkeer naar Nederland was zij, in 1979, een van de oprichters van de Werkgroep Zambia. Gedurende bijna tien jaar werkte zij actief mee binnen de Werkgroep Zambia en als redacteur van de Zambia Nieuwsbrief.

Rob Lucas is grafisch ontwerper en fotograaf. Hij is bekend om zijn portretfoto's van mensen in andere landen. Hij heeft een aantal prachtige fotoboeken op zijn naam staan zoals: Later zal ik, Uitgesproken menselijk (Kiwanis-project), Ver-gezicht (t.b.v. St. Francis Hospital, Katete) and Alle mensen, (t.b.v. Artsen zonder Grenzen).Hij heeft Zambia meermalen bezocht.

Tom Scott is freelance schrijver, redacteur en lector in Cornwall, UK. In de jaren tachtig was hij vrijwilliger in Lesotho, waar hij als leraar werkte. Daarna behaalde hij zijn MA in African Studies aan de School of Oriental and African Studies, Universiteit van Londen. Tegenwoordig is hij als docent verbonden aan het post-graduate programma voor professioneel schrijven aan Falmouth College of Arts. Hij was ons Engelse geweten.

De Commissie Fotoboek

Miranda Brouwer, penningmeester. Miranda is één van de eindredacteuren van de Zambia Nieuwsbrief en penningmeester van de de in 2003 opgerichte Stichting Werkgroep Zambia.
Tom Draisma, initiatiefnemer en coördinator van het fotoboekproject, en, samen met Ella Kruzinga, eindredacteur.
Flip de Haan, lid. Flip is secretaris van de Stichting Werkgroep Zambia.
Dick Jaeger, lid.
Ella Kruzinga, coördinator vertalingen en, samen met Tom Draisma, eindredacteur.

119

Word of thanks / Dankwoord

We thank co-publishers Cordaid, ICCO and the NCDO for their faith in our project from the start. We also gratefully acknowledge the support provided by the FNV (Federation of Trade Unions in the Netherlands), Photo Club Lelystad, the Municipal Health Services *Hart voor Brabant*, Kiwanis Club Enschede-Twente*, Oldelft Benelux BV, the Zambia Office of the Organisation of Netherlands Volunteers, and the Help Mporokoso Foundation**.

We are most thankful to the many other persons who helped in realising this book. The love with which *Inside Zambia 1964-2004* has been made, will be clear from the texts, the photographs, the translations, and from the care everyone has exercised. Without all these women and men, and without the backing of a variety of supporters, the project would not have succeeded. We thank all of them from the deep of our hearts!

On behalf of the Werkgroep Zambia and its Photo Book Committee,

Tom Draisma, Ella Kruzinga,
Editors-in-chief

Onze mede-uitgevers Cordaid, ICCO en NCDO hebben vanaf het begin vertrouwen in dit fotoboekproject gehad. Wij zijn hen zeer dankbaar. Onze dank geldt ook de volgende organisaties: de FNV, Fotoclub Lelystad, de GGD Hart voor Brabant, de Kiwanis Club Enschede-Twente*, Oldelft Benelux BV, SNV-Zambia, en de Stichting Help Mporokoso**.

We willen verder graag de vele andere mensen bedanken die ervoor gezorgd hebben dat dit boek ook werkelijk verschenen is. De liefde waarmee *Inside Zambia 1964-2004* gemaakt is, spreekt uit de teksten, de foto's, de vertalingen, en de zorgvuldigheid waarmee gewerkt werd. Zonder al die mensen en de steun van een veelsoortige achterban, was het niet gelukt. We danken hen daarom allemaal uit het diepst van ons hart!

Namens de Werkgroep Zambia en haar Commissie Fotoboek,

Tom Draisma, Ella Kruzinga,
Eindredacteuren

***The Kiwanis Club Enschede-Twente** – inspired by the motto 'We build' – endeavours to serve society by providing knowledge, skills and time.

****The Help Mporokoso Foundation** aims at providing practical, structural support to projects initiated by Mporokoso Hospital, Zambia.

***Kiwanisclub Enschede-Twente** wordt geleid door de zinspreuk 'wij bouwen'. De leden proberen zich door inzet van hun kennis, vaardigheden en werkkracht dienstbaar te maken aan de samenleving.

****De Stichting Help Mporokoso** heeft ten doel om op een structurele wijze en in de vorm van afgebakende projecten, hulp te bieden aan Mporokoso Hospital in Zambia. (voor meer informatie: www.helpmporokoso.com)

Linguistic Regions and Ethnic Groups

CONGO

ANGOLA

LUNDA

Kaonde

Mbunda **CHOKWE**

LUVALE **LUCHASI** **KAONDE**

Lunda **MBUNDA**

Bwela

Lyuwa Lozi
Lozi

Makoma **LOZI** **NKOYA-**
Mbwela

Nyengo **BWELA**

Kwangwa Ila

Kwandi Twa

MASHI **LUYANA**

Simaa Lozi Lumbu

Nkoya

Totela **TONGA**

Lozi Tonga

Lozi

Shanjo Lozi

Lozi

Lozi Tonga

NAMIBIA

BOTSWANA

 Heterogenous population / Zeer gemengde bevolking

BEMBA Linguistic Region / Taalgebied
Bisa Ethnic Group / Etnische groep